C0-AZO-912

한국어 활용연습 ❶

연세대학교 한국어학당 편

연세대학교 출판부

차 례

1. 모음 연습 (1)

아									
야									
어									
여									
오									
요									
우									
유									
으									
이									
아									
야									
어									
여									
오									
요									
우									
유									
으									
이									

2. 자음 연습

ㄱ									
ㄴ									
ㄷ									
ㄹ									
ㅁ									
ㅂ									
ㅅ									
ㅇ									
ㅈ									
ㅊ									
ㅋ									
ㅌ									
ㅍ									
ㅎ									
ㄲ									
ㄸ									
ㅃ									
ㅆ									
ㅉ									

3. 자·모음 연습

가	갸	거	겨	고	교	구	규	그	기
나	냐	너	녀	노	뇨	누	뉴	느	니
다	댜	더	뎌	도	됴	두	듀	드	디

3

라	랴	러	려	로	료	루	류	르	리
마	먀	머	며	모	묘	무	뮤	므	미
바	뱌	버	벼	보	뵤	부	뷰	브	비

사	샤	서	셔	소	쇼	수	슈	스	시
자	쟈	저	져	조	죠	주	쥬	즈	지
차	챠	처	쳐	초	쵸	추	츄	츠	치

카	캬	커	켜	코	쿄	쿠	큐	크	키
타	탸	터	텨	토	툐	투	튜	트	티
파	퍄	퍼	펴	포	표	푸	퓨	프	피
하	햐	허	혀	호	효	후	휴	흐	히

6

* 빈 칸을 채우십시오.

가	갸		고			규	그	기
나		너	녀	뇨			느	니
	댜		뎌	됴		듀		디
라				료	루	류		
	먀		모			뮤	므	
바	뱌		벼	뵤		뷰	브	
사		서	소			슈		
아		어	오		우		으	이
자	쟈		조		주		즈	
	챠		쳐	쵸		츄		치
	캬	커		쿄	쿠	큐		
타			텨	툐		튜	트	
	퍄		펴			퓨	프	
하	햐		혀		후			히

7

까	치		꼬	마		꾸	미	다
코	끼	리		따	다		따	오	기
또		때		아	빠		뻐	꾸	기
바	쁘	다		싸	다		아	저	씨
짜	다		쪼	다		찌	르	다

8

4. 모음 연습 (2)

애									
애									
에									
예									
와									
왜									
외									
워									
웨									
위									
의									
애									
애									
에									
예									
와									
왜									
외									
워									
웨									
위									
의									

5. 받침 연습

학	교			낚	시		부	엌		눈
듣	다			닫	으	십	시	오		옷
웃	어	요			있	다		낮		꽃
끝		히	읗		얼	굴			음	악
수	업			앞		강		공	항	

몫		몫	이		앉	다		앉	아	요
많	다		많	아		읽	다		읽	어
젊	다		젊	어		넓	다		넓	어
외	곬		핥	다		핥	아		읊	다
잃	다		잃	어		없	다		없	어

1. 다음 글씨를 보고 쓰십시오.

어	서		오	십	시	오	.		
선	생	님	,		안	녕	하	십	니 까 ?
앉	으	십	시	오	.		고	맙	습 니 다 .
앉	으	십	시	오	.		고	맙	습 니 다 .

12

2. 다음 보기와 같이 쓰십시오.

┤보기├
가다 → **갑니다**   앉다 → **앉습니다**

Better for writing

	Vst ㅂ니다	Vst ㅂ니까?
가르치다	~~갑니다~~ 가르칩니다	가르칩니까?
기다리다	기다립니다	기다립니까?
보다	봅니다	봅니까?
배우다	배웁니다	배웁니까?
사다	삽니다	삽니~~다~~까?
쉬다	쉽니다	쉽니까?
쓰다	씁니다	씁니까?
오다	옵니다	옵니까?
외우다	외웁다	외웁니까?
자다	잡니다	잡니까?
주다	줍니다	줍니까?
타다	탑니다	탑니까?
하다	합니다	합니까?
	Vst 습니다	Vst 습니까?
먹다	먹습니다	먹습니까?
읽다	읽습니다	읽습니까?
입다	입습니다	입습니까?
있다	있습니다	있습니까?
찾다	찾습니다	찾습니까

teach
wait
see
learn
buy
rest
write

sleep

ride

eat

wear

13

1. 다음 글씨를 보고 쓰십시오.

이	름	이		무	엇	입	니	까	?	
톰		존	슨	입	니	다	.			
미	국		사	람	입	니	까	?		
예	,		미	국		사	람	입	니	다.

14

2. 다음 보기와 같이 문장을 만드십시오.

┤보기├

한국 사람 → 한국 사람**입니다.**

1) 미국 사람 미국 사람입니다.

2) 일본 사람 일본 사람입니다.

3) 사전 사전

4) 아이스크림

5) 친구

6) 연세대학교

3. 다음 보기와 같이 문장을 만드십시오.

┤보기├

책 → 책**입니까?**

1) 연필

2) 공책

3) 중국 사람

4) 영국 사람

5) 학생

6) 우유

7) 숙제

4. 다음 그림을 보고 대화를 완성하십시오.

┤보기├

가 : 버스입니까?

나 : 예, 버스입니다.

1) 가 : 남자입니까?

　　나 : 예, _____.

2) 가 : 의사입니까?

　　나 : 아니오, _____.

　　_____.

3) 가 : 교과서입니까?

　　나 : 예, _____.

4) 가 : 가방입니까?

　　나 : 아니오, _____.

　　_____.

사 과

5. 다음 질문을 만드십시오.

1) 가 : _____?

  나 : 예, 책상입니다.

2) 가 : _____?

  나 : 예, 문입니다.

3) 가 : _____?

  나 : 아니오, 창문이 아닙니다.

4) 가 : _____?

  나 : 아니오, 의자가 아닙니다.

5) 가 : _____?

  나 : 아니오, 잡지가 아닙니다.

6) 가 : _____?

  나 : 예, 사전입니다.

7) 가 : _____?

  나 : 예, 학생입니다.

8) 가 : _____?

  나 : 아니오, 선생님이 아닙니다.

6. 다음 보기와 같이 대답하십시오.

┤보기├

가 : 이름이 무엇입니까?

나 : 김영수입니다.

1) 아버지 이름이 무엇입니까?

_____.

2) 어머니 이름이 무엇입니까?

_____.

3) 동생 이름이 무엇입니까?

_____.

4) 친구 이름이 무엇입니까?

_____.

5) 선생님 이름이 무엇입니까?

_____.

1. 다음 글씨를 보고 쓰십시오.

책	이		있	습	니	까	?		
예	,		있	습	니	다	.		
사	전	도		있	습	니	까	?	
아	니	오	,		없	습	니	다	.

2. 맞는 것에 ○표를 하십시오.

1) 책상 (이, 가) 있습니다.

2) 이것 (이, 가) 사전입니다.

3) 학교 (이, 가) 아닙니다.

3. ( )를 채우십시오.

1) 달력( ) 있습니다.

2) 시계( ) 없습니다.

3) 아버지( ) 계십니다.

4) 선생님( ) 아닙니다.

4. 다음 보기와 같이 문장을 만드십시오.

┤보기├
책 / 있다 → 책**이 있습니다.**

1) 의자 / 있다

2) 시간 / 없다

3) 학생 / 있다

4) 아버지 / 계시다

5) 미국 사람 / 없다

6) 할머니 / 안 계시다

5. 대답하십시오.

   1) 가 : 공책이 있습니까?

      나 : 예, _____.

   2) 가 : 동생이 있습니까?

      나 : 아니오, _____.

   3) 가 : 한국 사람입니까?

      나 : 예, _____.

   4) 가 : 미국 사람입니까?

      나 : 아니오, _____.

   5) 가 : 부모님이 계십니까?

      나 : 예, _____.

6. 다음 대화를 완성하십시오.

   1) 가 : _____?

      나 : 예, 한국 사람입니다.

   2) 가 : _____?

      나 : 아니오, 질문이 없습니다.

   3) 가 : _____?

      나 : 아니오, 부모님이 안 계십니다.

4) 가 : _____ ?

　　나 : 예, 학생입니다.

5) 가 : _____ ?

　　나 : 아니오, 공책이 아닙니다.

6) 가 : 시간이 있습니까?

　　나 : 예, _____ .

7) 가 : 연필입니까?

　　나 : 아니오, _____ .

8) 가 : _____ ?

　　나 : _____ .

7. 맞는 것을 고르십시오.

안녕하십니까? 저는 마이클(입니다, 있습니다). 고향이 L.A (입니다, 있습니다). 아버지, 어머니, 남동생이 (입니다, 있습니다). 저는 대학생(입니다, 있습니다). 학교 이름이 캘리포니아 대학교 (입니다, 있습니다). 기숙사가 (입니다, 있습니다). 도서관도 (입 니다, 있습니다). 학생들이 많습니다. 한국 학생도 (입니다, 있습 니다). 친구가 한국 사람(입니다, 있습니다). 여자(입니다, 있습니 다). 이름이 미선(입니다, 있습니다). 그 친구가 좋습니다.

1. 다음 글씨를 보고 쓰십시오.

그	것	이		무	엇	입	니	까	?
숙	제	입	니	다	.				
숙	제	가		많	습	니	까	?	
예	,		많	습	니	다	.		

2. 다음 대화를 완성하십시오.

┤보기├

가 : 이것이 교과서입니까?

나 : 예, 그것이 교과서입니다.

가 : 저것이 의자입니까?

나 : 아니오, 의자가 아닙니다. 모자입니다.

1) 가 : 이것이 칠판입니까?

　　나 : 예, ＿＿＿＿＿＿＿＿＿＿＿＿＿＿＿＿＿＿＿＿＿.

2) 가 : 그것이 달력입니까?

　　나 : 예, ＿＿＿＿＿＿＿＿＿＿＿＿＿＿＿＿＿＿＿＿＿.

3) 가 : 이것이 문입니까?

　　나 : 아니오, ＿＿＿＿＿＿＿＿＿＿＿＿＿＿＿＿＿＿＿.

4) 가 : 저것이 필통입니까?

　　나 : 아니오, ＿＿＿＿＿＿＿＿＿＿＿＿＿＿＿＿＿＿＿.

3. 다음 그림을 보고 대화를 완성하십시오.

┤보기├

가 : 이것이 무엇입니까?

나 : 그것이 사과입니다.

1) 가 : 이것이 무엇입니까?

　　나 : ＿＿＿＿＿＿＿＿＿＿＿＿＿＿＿＿＿＿＿＿＿＿＿.

2) 가 : 그것이 무엇입니까?

   나 : _____ .

3) 가 : 저것이 무엇입니까?

   나 : _____ .

25

4) 가 : 그것이 무엇입니까?

   나 : _____ .

5) 가 : _____ ?

   나 : _____ .

6) 가 : _____ ?

   나 : _____ .

1. 다음 글씨를 보고 쓰십시오.

안	녕	하	십	니	까	?					
처	음		뵙	겠	습	니	다	.			
톰			존	슨	입	니	다	.			
미	국	에	서		왔	습	니	다	.		
한	국	말	이		재	미	있	습	니	다	.
선	생	님	이		좋	습	니	다	.		

2. 다음 지도를 보고 대화를 완성하십시오.

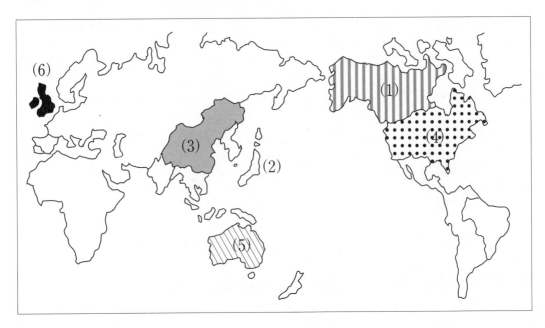

┃보기┃

가 : 어디에서 왔습니까? (1)

나 : 캐나다에서 왔습니다.

1) 가 : 어디에서 왔습니까? (2)

　　나 : _____.

2) 가 : 어디에서 왔습니까? (3)

　　나 : _____.

3) 가 : 어디에서 왔습니까? (4)

　　나 : _____.

4) 가 : 어디에서 왔습니까? (5)

　　나 : _____.

5) 가 : 어디에서 왔습니까? (6)

　　나 : _____.

3. 서로 반대되는 말끼리 줄을 이으십시오.

춥다 •	• 한가하다
바쁘다 •	• 재미없다
맛있다 •	• 쉽다
싸다 •	• 크다
어렵다 •	• 맛없다
작다 •	• 비싸다
재미있다 •	• 덥다

4. 다음 그림을 보고 문장을 완성하십시오.

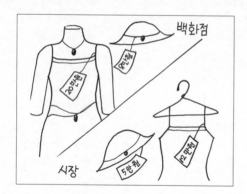

1) 백화점 물건이 _____ .

　시장 물건이 _____ .

2) 김 선생님이 _____ .

　박 선생님이 _____ .

3) 겨울이 _____ .

　여름이 _____ .

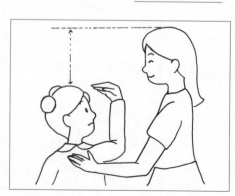

4) 동생이 _____ .

　언니가 _____ .

5. 다음 그림을 보고 운동 이름을 _____에 쓰십시오.

1) _____

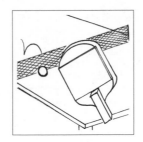

2) _____

3) _____

4) _____

5) _____

6) _____

7) _____

8) _____

9) _____

농구를 <u>합니다</u>	골프를 <u>칩니다</u>	스키를 <u>탑니다</u>
축구를	테니스를	스케이트를
배구를	탁구를	
야구를		
수영을		

말하기 연습(제 1 과)

안녕하십니까? 처음 뵙겠습니다. 이름이 무엇입니까?			
어디에서 왔습니까? 가족이 어디에 있습 니까?(부모님/형제)			
한국에서 무엇을 합 니까? 학생입니까?			
한국 친구가 있습니 까? 많습니까?			
바쁩니까? 한가합니까?			
그 / 이 / 저것이 무엇 입니까?			

〈계속하기〉

＊ 한국 생활이 재미있습니까?
＊ 일본 친구가 있습니까?
＊ 숙제가 많습니까?
＊ 한국말(말하기, 듣기, 읽기, 쓰기)이 어렵습니까?

1. 다음 그림을 보고 _____을 채우십시오.

┤보기├
의자 <u>위</u>에 우산이 있습니다.

1) 의자 _____에 우산이 있습니다.

2) 의자 _____에 우산이 있습니다.

3) 의자 _____에 우산이 있습니다.

4) 의자 _____에 우산이 있습니다.

1. ( )를 채우십시오.

	Vst십니다	Vst십니까?	Vst십시오	Vst ㅂ시다
가다				
오다				
쉬다				
보다				
사다				
기다리다				
가르치다				
배우다				
타다				
일하다				

	Vst으십니다	Vst으십니까?	Vst으십시오	Vst 읍시다
앉다				
읽다				
찾다				
	Vst십니다	Vst십니까?	Vst십시오	Vstㅂ/읍시다
먹다				
있다				
자다				
말하다				

2. 다음 보기와 같이 대화를 완성하십시오.

┤보기├

가 : 한국말이 어떻습니까?

나 : 한국말이 좀 어렵습니다.

1) 가 : 김치찌개 맛이 어떻습니까?

　　나 : ＿＿＿＿＿＿＿＿＿＿＿＿＿＿＿＿＿＿＿＿＿＿.

2) 가 : 지하철이 ＿＿＿＿＿＿＿＿＿＿＿＿＿＿＿?

　　나 : ＿＿＿＿＿＿＿＿＿＿＿＿＿＿＿＿＿＿＿＿＿＿.

3) 가 : 한국 신문 읽기가 어떻습니까?

　　나 : ＿＿＿＿＿＿＿＿＿＿＿＿＿＿＿＿＿＿＿＿＿＿.

4) 가 : ＿＿＿＿＿＿＿＿＿＿＿＿＿＿＿＿＿ 기가 어떻습니까?

　　나 : ＿＿＿＿＿＿＿＿＿＿＿＿＿＿＿＿＿＿＿＿＿＿.

3. 다음 보기와 같이 맞는 것을 고르십시오.

┤보기├

어머니가 (갑니다, <u>가십니다</u>).

저도 (<u>갑니다</u>, 가십니다).

안녕하십니까? 제 이름은 죤슨(입니다, 이십니다).

우리 부모님은 미국 사람(입니다, 이십니다).

미국에 (있습니다, 계십니다). 지금 미국은 밤(입니다, 이십니다).

한국은 아침(입니다, 이십니다). 우리 부모님은 (잡니다, 주무십니

다). 저는 한국말을 (배웁니다, 배우십니다).

한국말이 (재미있습니다, 재미있으십니다).

이 선생님이 (가르칩니다, 가르치십니다).

선생님이 (재미있습니다, 재미있으십니다).

이 선생님은 (바쁩니다, 바쁘십니다).

이 선생님은 (피곤합니다, 피곤하십니다).

1. 다음 보기와 같이 (   )에 맞는 말을 쓰십시오.

┃보기┃

친구(를) 만납니다.

1) 지하철(   ) 탑니다.

2) 잡지(   ) _____ .

3) 여행(   ) _____ .

4) 사전(   ) _____ .

5) 편지(   ) _____ .

34

2. 다음 보기와 같이 대화를 완성하십시오.

┃보기┃

가 : 무엇을 봅니까?

나 : 산을 봅니다.

1) 가 : 누구를 기다립니까?

   나 : _____ .

2) 가 : _____ 찾습니까?

   나 : _____ .

3) 가 : _____ 먹고 싶습니까?

   나 : _____ .

4) 가 : _____ ?

   나 : 피아노를 가르칩니다.

3. 다음 보기와 같이 맞는 말에 ○표를 하십시오.

┤보기├

나는 갈비(가, 를) 좋아합니다.

나는 한국 문학(이, 을) 공부합니다. 한국 문학(이, 을) 재미있습니다. 나는 책(이, 을) 읽습니다. 한국말 책(이, 을) 어렵습니다. 나는 텔레비전(이, 을) 봅니다. 드라마(가, 를) 좋습니다. 뉴스(가, 를) 재미없습니다. 노래(가, 를) 듣습니다. 노래 듣기(가, 를) 쉽습니다.

4. 다음 보기와 같이 대화를 완성하십시오.

┤보기├

가 : 영어를 배웁니까?

나 : 예, 일본말도 배웁니다.

1) 가 : 기영 씨가 여행을 가십니까?

　　나 : 예, ＿＿＿＿＿＿＿＿＿＿＿＿＿＿＿＿.

2) 가 : 빵을 잡수십니까?

　　나 : 예, ＿＿＿＿＿＿＿＿＿＿＿＿＿＿＿＿.

3) 가 : 테니스를 칩니까?

　　나 : 예, ＿＿＿＿＿＿＿＿＿＿＿＿＿＿＿＿.

1. 다음 보기와 같이 대화를 완성하십시오.

┤보기├

가 : 방에 무엇이 있습니까?

나 : 침대**하고** 책상이 있습니다.

1) 가 : 냉장고 안에 무엇이 있습니까?

나 : ＿＿＿＿＿＿＿＿＿＿＿ 하고 ＿＿＿＿＿＿＿＿＿＿＿.

2) 가 : 무엇을 잡수십니까?

나 : ＿＿＿＿＿＿＿＿＿＿＿＿＿＿＿＿＿＿먹습니다.

3) 가 : 무엇을 삽니까?

나 : ＿＿＿＿＿＿＿＿＿＿＿＿＿＿＿＿＿.

2. 다음 보기와 같이 문장을 완성하십시오.

┤보기├

라면은 쌉니다. 냉면은 비쌉니다.

1) 책상은 있습니다. 의자＿＿＿＿＿＿＿＿＿＿＿＿＿＿＿.

2) 저는 한가합니다. 죤슨 씨＿＿＿＿＿＿＿＿＿＿＿＿＿＿.

3) 옷은 많습니다. ＿＿＿＿＿＿＿＿＿＿＿＿＿＿＿.

5

1. 다음 보기와 같이 대화를 완성하십시오.

┤보기├

가 : 어디**에 가십니까?**

나 : 집**에 갑니다.**

1) 가 : 어디에 가십니까?

　 나 : _____.

2) 가 : _____?

　 나 : 어머님이 시장에 가십니다.

3) 가 : _____?

　 나 : _____.

37

2. 다음 보기와 같이 문장을 완성하십시오.

┤보기├

가 : 날**마다** 어디에 가십니까?

나 : 날**마다** 연세대학교 어학당에 갑니다.

1) 가 : 저녁마다 무엇을 _____.

　 나 : _____.

2) 가 : _____ 마다 누구를 만납니까?

　 나 : _____.

3) 가 : 주말마다 무엇을 하십니까?

　 나 : _____.

1. ( )를 채우십시오.

1) 자동차( ) 있습니까?

2) 한국말( ) 재미있습니다. 한국 생활( ) 재미있습니다.

3) 제( ) 김영수입니다.

4) 바나나( ) 쌉니다. 배( ) 비쌉니다.

5) 태권도( ) 배우고 싶습니다.

6) 나( ) 주말마다 영화( ) 봅니다.

7) 노래( ) 부릅니다. 춤( ) 춥니다.

8) 도서관( ) 학생들이 많습니다.

9) 부모님( ) 고향( ) 계십니다.

10) 저는 해마다 한국( ) 옵니다.

11) 이 선생님( ) 박 선생님( ) 어디( ) 계십니까?

12) 저( ) 독일( ) 왔습니다.

13) 이 교실( ) 미국 사람이 없습니다.

저 교실( ) 미국 사람이 있습니다.

14) 이 분( ) 회사원( ) 아닙니다.

2. 질문에 대답하십시오.

1) 은행이 어디에 있습니까?

2) 누가 한국말을 공부합니까?

3) 한국말 공부하기가 어떻습니까?

4) 어디에 가고 싶습니까?

5) 친구가 무엇을 하고 싶어합니까?

3. 다음 중에서 맞는 말을 골라 문장을 완성하십시오.

┨보기┠

누구, 무엇, 무슨, 어디

┨보기┠

가 : 누가 가르칩니까?

나 : 김 선생님이 가르칩니다.

1) 가 : _____ 죤슨 씨입니까?

   나 : 제가 죤슨입니다.

2) 가 : _____ 만납니까?

   나 : 친구를 만납니다.

3) 가 : 저 분이 _____ 입니까?

   나 : 저 분이 미선 씨입니다.

4) 가 : _____?

   나 : 이것이 컵입니다.

5) 가 : _____ 책을 읽고 싶습니까?

   나 : _____.

6) 가 : 병원이 _____ 있습니까?

   나 : 신촌에 있습니다.

4. 다음 그림을 보고 대답하십시오.

1) 위 그림을 보고 다음 _____을 채우십시오.

① 학교가 버스 정류장 _____에 있습니다.

② 병원이 은행 _____에 있습니다.

③ _____이 (가) 공원 _____에 있습니다.

④ _____이 (가) 학교 뒤에 있습니다.

2) 위 그림을 보고 대답하십시오.

① 은행 앞에 있습니다. 버스 정류장 앞에 있습니다. 무엇이 있습니까?

② 서점 옆에 있습니다. 연세대학교 뒤에 있습니다. 무엇이 있습니까?

③ 버스 정류장 옆에 있습니다. 은행 옆에 있습니다. 무엇이 있습니까?

5. 다음 그림을 보고 질문에 대답하십시오.

1) 방에 무엇이 있습니까?

2) 책상 위에 무엇이 있습니까?

3) 책상 앞에 무엇이 있습니까?

4) 시계는 어디에 있습니까?

5) 담배는 어디에 있습니까?

6. 여러분의 방을 그리고 설명하십시오.

7. 자기 소개를 쓰십시오.

이　름 : _____

주　소 : _____

말하기 연습(제 2 과)

집이 어디에 있습니까? 집 근처에 무엇이 있습니까?			
_____ 씨 방에 무엇이 있습니까? 책상도 있습니까?			
직업이 무엇입니까? (학생/선생님/의사/간호사/회사원/기자/변호사/화가...)			
취미가 무엇입니까? 주말마다 무엇을 합니까?			
한국말 배우기가 어떻습니까? 누가 가르칩니까? 어디에서 배웁니까?			
무슨 음식/과일/차/음악/영화/책을 좋아합니까?			

<계속하기>

* 가족/친구 소개를 하십시오.
* 아침마다 운동을 합니까? 무슨 운동을 합니까?

1. 다음 ( )에 맞는 조사를 쓰십시오.

1) 사장님( ) 전화를 하셨습니다.

2) 설탕( ) 답니다. 고추( ) 맵습니다.

3) 파리( ) 쎄느강이 있습니다. 서울( ) 한강이 있습니다.

4) 저( ) 수박을 좋아합니다.

2. 다음 그림을 보고 대화를 만드십시오.

┃보기┃

가 : 배가 몇 개입니까?

나 : 다섯 개입니다.

1) 가 : _____ ?

나 : _____ .

2) 가 : _____ ?

나 : _____ .

3) 가 : _____ ?

나 : _____ .

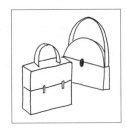

4) 가 : _____ ?

   나 : _____ .

5) 가 : _____ ?

   나 : _____ .

3. 다음 대화를 완성하십시오.

1) 가 : 무슨 ____을/를 좋아하십니까?

   나 : ____을/를 좋아합니다.

야구	스키	농구

2) 가 : 무슨 _____ ?

   나 : _____ .

빨간 색	파란 색	하얀 색

3) 가 : _____ ?

   나 : _____ .

홍차	커피	

4) 가 : _____ ?

   나 : _____ .

맥주		

5) 가 : _____ ?

   나 : _____ .

1. 보기의 단어 중에서 다음 계절에 알맞은 단어를 골라 쓰고 1개 더 쓰십시오.

┨보기┠

춥다	단풍	눈	감
덥다	딸기	진달래	땀이 나다
선선하다	크리스마스	수박	따뜻하다

봄 : _____ _____ _____ _____

여름 : _____ _____ _____ _____

가을 : _____ _____ _____ _____

겨울 : _____ _____ _____ _____

2. 보기와 같이 다음 대화를 완성하십시오.

┨보기┠

가 : 날씨가 좋**지요**?

나 : 예, 날씨가 좋습니다.

1) 가 : 꽃이 참 _____ ?

　　나 : 예, 꽃이 참 예쁩니다.

2) 가 : 그 분이 _____ ?

　　나 : 예, 그 분이 친절합니다.

3) 가 : 갈비를 _____ ?

　　나 : 예, 갈비를 좋아합니다.

1. 빈 칸에 맞는 형태로 고치십시오.

동사	Vst ㅂ/습니다	Vst겠습니다	Vst었(았, 였)습니다
가다			
타다			
받다			
앉다			
오다			
보다			
먹다			
있다			
읽다			
배우다			
주다			
쓰다			
쉬다			
마시다			
가르치다			
하다			
공부하다			

2. 알맞은 말을 골라 보기와 같이 대화를 완성하십시오.

┤보기├

짜다　　달다　　시다　　쓰다　　맵다

┤보기├

가 : 딸기 맛이 어떻습니까?　　　　나 : 딸기가 답니다.

1) 가 : 소금 맛이 어떻습니까?

　　나 : _____.

2) 가 : 레몬 맛이 어떻습니까?

　　나 : _____.

3) 가 : _____ ? (고추장)

　　나 : _____.

4) 가 : _____ ? (꿀)

　　나 : _____.

3. 맞는 형태로 고치십시오. (ㄹ 동사)

	Vst는	Vstㅂ니다	Vst십시오	Vst십니다	Vstㅂ시다
만들다	만드는		만드십시오		
살다				사십니다	
걸다		겁니다			
팔다					팝시다

1) 저는 여의도에서 _____ ㅂ니다. (살다)

2) 한국말을 조금 _____ ㅂ니다. (알다)

3) 음식을 _____ (으)십시오. (만들다)

1. 보기와 같이 다음 문장을 완성하십시오.

┨보기┠

가 : 버스를 **탈까요?**   가 : 영화를 **볼까요?**

나 : 예, 버스를 **탑시다.** 나 : 아니오, 영화를 **보지 맙시다.**

1) 가 : _____ ?

   나 : 예, 맥주를 시킵시다.

2) 가 : _____ 을/를 살까요?

   나 : 아니오, _____ .

3) 가 : 어디에_____ ?

   나 : _____ .

2. 어제 무엇을 했습니까?

다음 보기의 단어를 사용하여 이야기를 쓰십시오.

┨보기┠

일어나다, 세수하다, 아침/점심/저녁을 먹다, 학교에 오다,

버스를 타다, 친구를 만나다, 공부를 하다, 잠을 자다

_____

_____

_____

_____

1. 다음 표에 음식 이름을 쓰고 질문에 대답하십시오.

	아침	점심	저녁
영수	토스트, 우유, 사과	자장면	스테이크, 커피
영희	밥, 국, 계란부침, 김치	갈비, 냉면	초밥, 튀김, 우동
나			

1) 영수가 아침에 무엇을 먹었습니까?

2) 누가 한식집에 갔습니까?

3) 누가 점심에 중국 식당에 가겠습니까?

4) _____씨는 점심을 어디에서 먹겠습니까?

   무슨 음식을 먹고 싶습니까?

5) _____씨는 저녁을 누구와 같이 먹고 싶습니까?

   어디에서 먹고 싶습니까?

   후식(dessert)은 무엇을 먹고 싶습니까?

2. 다음 질문에 대답하십시오.

1) 가 : 몇 시에 학교에 갑니까?

   나 : _____.

2) 가 : 몇 시에 수업을 시작합니까?

   나 : _____.

3) 가 : 날마다 몇 시간 공부합니까?

   나 : _____.

4) 가 : 몇 시에 점심을 먹습니까?

   나 : _____.

5) 가 : 몇 시에 잡니까?

   나 : _____.

6) 가 : 몇 시에 일어납니까?

   나 : _____.

7) 가 : 몇 시간 잡니까?

   나 : _____.

3. 다음 그림을 보고 이야기를 만드십시오.

1)

2)

3)

4)

5)

6)

1. 다음 질문에 대답을 쓰십시오.

1) 이것이 책상입니까?

예,

아니오,

2) 이 분이 일본 사람입니까?

예,

아니오,

3) 오늘 오후에 약속이 있습니까?

예,

아니오,

4) 부모님께서 미국에 계십니까?

예,

아니오,

5) 날마다 학교에 옵니까?

예,

아니오,

6) 운동을 좋아하십니까?

예,

아니오,

7) 김치가 맵습니까?

예,

아니오,

8) 한국에서 살기가 재미있습니까?

　예,

　아니오,

9) 김 선생님을 아십니까?

　예,

　아니오,

10) 어제 친구를 만났습니까?

　예,

　아니오,

11) 지난 주에 영화를 봤습니까?

　예,

　아니오,

12) 오후에 일본 식당에 가겠습니까?

　예,

　아니오,

13) 다음 주에 여행을 떠나겠습니까?

　예,

　아니오,

14) 1시에 만날까요?

　예,

　아니오,

말하기 연습I (제 3 과)

〈도서관에서〉

1. 가 : 지금 몇 시입니까?

　　나 :

2. 가 : 배가 고픕니다.

　　나 :

3. 가 : _____씨는 무슨 음식을 좋아합니까?

　　나 :

4. 가 : 그럼, _____에 갑시다.

　　나 :

〈식당에서〉

차림표(식사)
냉 면 ... 5,000원
비빔밥 ... 5,000원
김치찌개 ... 3,500원

차림표(후식)
커피 ... 3,500원
녹차 ... 3,500원
콜라 ... 3,000원

5. 가 : 오늘은 덥지요? (춥지요?)

　　나 :

6. 가 : 저는 냉면을 먹겠습니다. _____씨는 뭘 잡수시겠습니까?

　　나 :

7. 가 : 그럼, _____하고 _____을(를) 시킵시다.

   나 :

8. 가 : 여보세요, 여기 _____하고 _____을(를) 주십시오.

   … 음식을 먹습니다 …

9. 가 : _____ 맛이 어떻습니까?

   나 :

10. 가 : _____을(를) 더 시킬까요?

    나 : 아니오,

11. 가 : 그럼 차를 마실까요?

    나 :

12. 가 : 저는 _____을(를) 마시겠습니다.

    나 : 여보세요,

13. 가 : 이 집 음식이 어떻습니까?

    나 :

14. 가 : 값도 비싸지 않지요?

    나 :

15. 가 : 오늘 점심 값은 제가 내겠습니다.

    나 : 아니오,

16. 가 : 제가 내겠습니다. _____씨는 다음에 내십시오.

    나 :

말하기 연습Ⅱ(제 3 과)

___식당 음식이 맛있지요? 거기에 갈까요?			
그 식당 비빔밥 맛이 어떻습니까? 맵지 않습니까? 값은 어떻습니까?			
어제(토요일)는 수업이 없었습니다. 무엇을 했습니까?			
내일 어디에서 점심을 먹겠습니까? 누구하고 같이 가고 싶습니까? 몇 시에 가겠습니까?			
다음 주 일요일에 시간이 있습니까? 예 : 같이 박물관에 갈까요? 아니오 : 그럼 언제 갈까요?			

〈계속하기〉

* 오늘 날씨가 덥(춥)지요? 지금 _____씨 고향 날씨는 어떻습니까?

* 저는 지난 주(달)에 영화를 봤습니다. 아주 재미있었습니다.
_____씨도 그 영화를 봤습니까?

1

1. 다음 숫자를 한글로 쓰고 읽으십시오.

┃보기┃

7월입니다. → 칠 월입니다.

1) 1월 1일입니다.

2) 3월 31일에 인천에 갔습니다.

3) 6월 16일에 설악산에 가겠습니다.

4) 1976년 10월 29일에 태어났습니다.

5) 우리 교실은 406호입니다.

6) 교과서 13쪽을 보십시오.

7) 오늘은 제 5과 2항을 공부하겠습니다.

8) 지금은 12시 30분입니다.

9) 6시 45분에 약속이 있습니다.

10) 의자가 모두 8개 있습니다.

11) 우리 교실에 학생이 9명 있습니다.

12) 18,500원입니다.

13) 23살입니다.

14) 교실은 3층에 있습니다. 식당은 지하 1층에 있습니다.

15) 205번 버스를 탑니다. 그리고 지하철 1호선을 탑니다.

2. 다음 숫자를 한글로 쓰고 알맞은 말을 골라 (   )에 넣으십시오.

개	사람/명	병	송이	자루
분	장	잔	대	켤레
벌	근	권	갑	시

┃보기┃

가방이 3(세) __개__ 있습니다.

1) 수업은 9 (   ) _____에 시작합니다.

2) 학생이 모두 10 (   ) _____ 있습니다.

3) 선생님이 모두 5 (   ) _____ 계십니다.

4) 책상 위에 책 2 (   ) _____ 하고 연필 7 (   ) _____가 있습니다.

5) 장미꽃 8 (   ) _____ 하고 백합 4 (   ) _____를 주십시오.

6) 영화표가 6 (   ) _____ 있습니다.

7) 백화점에서 옷 1 (   ) _____ 하고 구두 1 (   ) _____를 샀습니다.

8) 자동차가 모두 20 (   ) _____ 있습니다.

9) 맥주 12 (   ) _____을 마셨습니다.

10) 소고기 1 (   ) _____은 600g입니다.

11) 커피 3 (   ) _____ 하고 주스 4 (   ) _____을 주십시오.

12) 담배 2 (   ) _____을 샀습니다.

3. 그림을 보고 질문에 대답하십시오.

차림표	
돌솥비빔밥	6,000원
갈 비 탕	6,000원
삼 계 탕	8,000원

┤보기├

비빔밥이 얼마입니까?

육천 원입니다.

1) 삼계탕이 얼마입니까?

2) 갈비탕은 얼마입니까?

4. 그림을 보고 대화를 만드십시오.

1) 가 : 맥주 한 병에 얼마입니까?

　나 : _____.

2) 가 : _____?

　나 : _____.

3) 가 : _____?

　나 : _____.

4) 가 : _____?

　나 : _____.

5. 몇 시입니까?

6. 얼마입니까?

7. 다음 그림을 보고 질문에 대답하십시오.

12월

일	월	화	수	목	금	토
		1	2	3	4	5
6	7	8	9	10	11	12 미선 생일
13	14	15	16 오늘	17	18	19
20	21	22	23	24	**25**	26
27	28	29	30	31		

1) 오늘은 몇 월 며칠입니까?
2) 어제는 몇 월 며칠이었습니까?
3) 내일은 무슨 요일입니까?
4) 공휴일은 언제입니까?
5) 친구 생일은 무슨 요일이었습니까?

1. 다음 보기와 같이 문장을 만드십시오.

┃보기┃

한국말을 모릅니다. **가르쳐 주십시오**. (가르치다)

1) 문법이 어렵습니다. _____. (설명하다)

2) 전화를 하고 오겠습니다. _____. (기다리다)

3) 편지를 쓰겠습니다. _____. (답장을 보내다)

4) 지갑을 잃어버렸습니다. _____. (찾다)

5) 어머니, 저 옷을 입고 싶습니다. _____. (사다)

2. 다음 보기와 같이 문장을 완성하십시오.

┃보기┃

가 : 문을 **닫을까요?**　　　가 : 제가 **말할까요?**

나 : 예, 문을 **닫으십시오.**　　나 : 아니오, **말하지 마십시오.**

1) 가 : 제가 전화할까요?

　　나 : 예, _____.

2) 가 : _____(으)ㄹ까요?

　　나 : 아니오, _____.

3) 가 : 이 사전을 드릴까요?

　　나 : _____.

3. 다음 대화를 완성하십시오.

쫀슨 씨가 많이 아픕니다. 병원에 있습니다. 다나까 씨는 친구입니다. 다나까 씨가 쫀슨 씨 병문안을 갔습니다.

다나까 : 많이 아프지요?

쫀 슨 : 예, _____.

다나까 : 주스를 드릴까요?

쫀 슨 : 예, _____.

다나까 : 날씨가 참 좋습니다. 같이 나갈까요?

쫀 슨 : 아니오, _____.

　　　　　저는 좀 피곤합니다.

다나까 : 텔레비전을 켤까요?

쫀 슨 : 아니오, _____.

　　　　　텔레비전을 보고 싶지 않습니다.

다나까 : 게임을 할까요?

쫀 슨 : 아니오, _____.

　　　　　머리가 좀 아픕니다.

다나까 : 그럼 같이 이야기를 할까요?

쫀 슨 : 아니오, _____.

　　　　　저는 쉬고 싶습니다.

다나까 : 그럼 제가 이야기할까요?

쫀 슨 : 아니오, _____.

　　　　　저는 지금 자고 싶습니다.

4

1. 다음 대화를 완성하십시오.

1) 가 : 어느_____에서 오셨습니까?

   나 : _____.

일본	캐나다	미국

2) 가 : _____시장에 _____?

   나 : _____ 갑시다.

남대문시장	동대문시장	신촌시장

3) 가 : _____에 다닙니까?

   나 : _____.

국민은행	한빛은행	외환은행

2. 맞는 것에 ○표를 하십시오.

저는 아사꼬입니다. 일본(에, 에서) 왔습니다. 연대 어학당(에, 에서) 다닙니다. 오전(에는, 에서는) 학교(에, 에서) 한국말을 배웁니다. 오후(에는, 에서는) 도서관(에, 에서) 갑니다. 오늘은 숙제를 하고 친구와 같이 이태원(에, 에서) 갔습니다. 이태원 옷가게(에, 에서) 옷이 많았습니다. 빨간 색 원피스는 한 벌(에, 에서) 55,000원이고 하얀 색 투피스는 한 벌(에, 에서) 80,000원이었습니다. 빨간 색 원피스를 샀습니다. 주말(에, 에서) 파티가 있습니다. 이 옷을 입고 가겠습니다. 옷을 사고 다방(에, 에서) 갔습니다. 그 다방(에, 에서) 고향 친구를 만났습니다. 친구와 이야기를 많이 했습니다. 밤 10시(에, 에서) 다방(에, 에서) 나왔습니다. 집(에, 에서) 10시 50분(에, 에서) 도착했습니다. 그런데 옷 가방을 다방 의자(에, 에서) 놓고 왔습니다. 어떻게 하지요?

1. 서로 어울리는 문장끼리 줄을 긋고 문장을 만드십시오.

┤보기├

이 책은 쉽습니다. ─────── 재미있습니다.

1) 아침에 세수를 합니다.   친구를 만났습니다.

2) 남산은 명동에 있습니다.   비가 많이 옵니다.

3) 여름은 덥습니다.   배는 1000원입니다.

4) 사과는 700원입니다.   아침을 먹습니다.

5) 2시에 숙제를 끝냈습니다.   63빌딩은 여의도에 있습니다.

6) 머리를 감았습니다.   화장을 했습니다.

┤보기├

이 책은 쉽고 재미있습니다.

1) _____.

2) _____.

3) _____.

4) _____.

5) _____.

6) _____.

2. 다음 단어들을 이용해서 문장을 만드십시오.

┤보기├

교실, 학생, 아홉, 있다 → 교실에 학생이 아홉 명이 있습니다.

1) 친구, 같이, 맥주, 둘, 마시다

2) 친구, 소개하다, 주다

3) 날마다, 숙제, 하다, 잠, 자다

4) 일요일, 박물관, 구경하다, 싶다

5) 전화번호, 좀, 가르치다, 주다

6) 이번, 방학, 영국, 가다, 싶다

7) 사람, 얼굴, 다르다

8) 5시, 숙제, 끝내다, 친구, 영화, 보다

말하기 연습(제 4 과)

오늘이 몇 월 며칠입니까? 무슨 요일입니까?			
생일이 언제입니까? 몇 살입니까? 형/오빠/누나/언니는 몇 살입니까?			
지금이 몇 시입니까? 오늘 아침 몇 시에 일어났습니까?			
어제 몇 시간 공부했습니까? 어디에서 공부를 했습니까?			
오후에는 무엇을 하고 싶습니까? 수업이 끝나고 전화해 주십시오.			

〈계속하기〉

＊ 전화번호 좀 가르쳐 주십시오. 제가 2시에 전화할까요?

＊ 교실에 학생이 몇 명이 있습니까? 어느 나라 사람이 있습니까?
친구들을 소개해 주십시오.

＊ (가게에서)

가 : 어서 오십시오. 뭘 찾으십니까?

나 :

가 :

나 :

1. ( )를 채우십시오.

-에,   -에서,   -을/를,   -께서,

-와/과,   -이/가,   -은/는,   -마다,   -에는
---

1) 저(   ) 일본 사람(   ) 아닙니다.

2) 해(   ) 영국(   ) 갑니다.

3) 공항이 어디(   ) 있습니까?

4) 어제 백화점(   ) 가방(   ) 구두(   ) 샀습니다.

5) 1월(   ) 미국(   ) 왔습니다.

6) 이 공책이 1권(   ) 500원입니다.

7) 한식(   ) 좋아합니다.

8) 책방(   ) 갔습니다. 거기(   ) 책이 많았습니다.

9) 누(   ) 우유(   ) 시켰습니까?

10) 어머니(   ) 주무십니다.

2. 다음 대화를 완성하십시오.

1) 가 : 만두를 잡수시겠습니까?

　　나 : ＿＿＿＿＿＿＿＿＿＿＿＿＿＿＿＿＿＿＿.

2) 가 : 공원에 갈까요?

　　나 : 예, ＿＿＿＿＿＿＿＿＿＿＿＿＿＿＿＿＿＿＿.

3) 가 : 바쁘지요?

　　나 : 예, ＿＿＿＿＿＿＿＿＿＿＿＿＿＿＿＿＿＿＿.

4) 가 : 어제 몇 시에 주무셨습니까?

   나 : _____.

5) 가 : 무슨 운동을 좋아하십니까?

   나 : _____.

6) 가 : 수업이 끝나고 무엇을 하십니까?

   나 : _____.

7) 가 : _____?

   나 : 공부하기가 재미있습니다.

8) 가 : _____?

   나 : 지금은 10시 30분입니다.

9) 가 : _____?

   나 : 아니오, 영어를 가르치고 싶지 않습니다.

10) 가 : _____?

   나 : 부모님께서 미국에 계십니다.

11) 가 : _____?

   나 : 오늘은 5월 5일입니다.

3. 문장을 바꾸십시오.

> ┤보기├
>
> 오늘 친구를 만납니다.
>
> → **어제** 친구를 **만났습니다.**
>
> → **내일** 친구를 **만나겠습니다.**

1) 오늘 미선 씨가 아픕니다. → 어제 _____.

2) 설악산에 갑니다. → 내일 _____.

3) 국수를 먹습니다. → 어제 _____.

4) 지금 잡지를 봅니다. → 다음 주에 _____.

5) 수영을 배웁니다. → 지난 달에 _____.

4. 문장을 만드십시오.

> ┤보기├
>
> 이 분은 김 선생님입니다. 저 분은 죤슨 씨입니다.
>
> → 이 분은 김 선생님**이고** 저 분은 죤슨 씨입니다.

1) 아침을 먹습니다. 학교에 갑니다.

→ _____.

2) 물건이 쌉니다. 좋습니다.

→ _____.

3) 아버지는 신문을 봅니다. 어머니는 텔레비전을 봅니다.

→ _____.

5. 문장을 만드십시오.

> ┤보기├
>
> 점심을 삽니다/주십시오.
>
> → 점심을 **사 주십시오.**

1) 문을 닫다/주십시오. → _____ .

2) 이 문제 좀 가르치다/주십시오. → _____ .

3) 오후에 전화합니다/주십시오. → _____ .

4) 소설책을 읽습니다/주십시오. → _____ .

5) 문을 열다/주십시오. → _____ .

6) 돕다/주십시오. → _____ .

7) 돈을 빌립니다/주십시오. → _____ .

6. 다음 숫자를 한글로 쓰십시오.

> ┤보기├
>
> 사과 1개 → 사과 한 개

1) 1994년 6월 6일

2) 오전 11시 45분

3) 24살

4) 146,850원

5) 806,664원

7. ( ) 안에 알맞은 단어를 쓰십시오.

> 켤레, 권, 개, 마리, 명, 분, 자루, 잔, 벌, 대, 송이

1) 사과 5 ( ) _____하고 배 2 ( ) _____를 샀습니다.

2) 우리 집에는 개가 2 ( ) _____ 있습니다.

3) 가방 안에는 책 4 ( ) _____하고 연필이 8 ( ) _____가 있습니다.

4) 선생님 1 ( ) _____하고 학생 5 ( ) _____이 수영을 합니다.

5) 옷 1 ( ) _____하고 구두 3 ( ) _____를 샀습니다.

6) 우리 집에는 자동차가 2 ( ) _____ 있습니다.

7) 생일에 장미꽃 20 ( ) _____하고 향수 1 ( ) _____을 받았습니다.

8) 어젯밤 친구들과 같이 맥주를 5 ( ) _____ 마셨습니다. 오징어도 2 ( ) _____ 먹었습니다. 이야기도 많이 했습니다.

단 어 맞 추 기(1)

1	2			4,5						
	3						6	7		
10				12	13		8	9	
11									
						17			
	14	15			18				
	16					24	25	
19	20		21,22				
	23				26		

♠ 가로

1. 이 날은 케이크를 먹고 축하 노래를 부릅니다.
3. 이것은 아주 깁니다. 사람들이 탑니다.
5. 여기서 편지나 소포를 부칩니다.
6. 회사원이 날마다 여기에 갑니다.
8. 따르릉, 여보세요?
11. 동양 사람이 아니고 ____ 사람.
12. 여기에서 책과 잡지를 팝니다. '서점'과 같습니다.
14. 그 곳에서 가깝습니다. 가까이
16. 라디오에서 이것이 나옵니다. 이것을 듣고 춤을 춥니다.
18. 오늘의 다음 날.
19. 남자는 치마를 입지 않고 이것을 입습니다.
21. 친구와 내일 만납니다. 그래서 내일 ____이 있습니다.
23. 여기에서 노래를 부릅니다.
24. 아픕니다. 이 분에게 갑니다. 병원에 계십니다
26. 학생들이 여기에서 공부합니다.

♠ 세로

2. 우리가 날마다 밤에 이것을 씁니다.
4. 나와 여러분.
7. 단어를 모릅니다. 이것을 보고 단어를 찾습니다.
9. 여기에서 손을 씻고 머리를 예쁘게 합니다.
10. 여기에는 책이 많습니다. 신문과 잡지도 많습니다.
13. 이 때는 학생들이 공부하지 않고 많이 쉽니다. 학생들이 이 때를 아주 좋아합니다.
15. 여러 번 아니고, 마지막의 반대
17. 이 날은 사람들이 일하지 않고 공부도 하지 않고 쉽니다.
20. 우리가 지구에서 삽니다. 이것을 그림으로 그렸습니다.
22. 여기에서 약을 팝니다.
25. 회사원들이 여기에서 일합니다.

1

1. 다음 대화를 완성하십시오.

1) 가 : 어디로 갑니까?

　　나 : _____ .

2) 가 : 한국 사람은 무엇으로 _____ ?

　　나 : _____ .

3) 가 : 마사꼬 씨는 어느 나라 말로 _____ ?

　　나 : _____ .

4) 가 : 공책에 _____ ?

　　나 : _____ .

5) 가 : 학교에 _____ ?

　　나 : _____ .

1. 다음 보기와 같이 문장을 완성하십시오.

┤보기├

비빔밥이 좀 맵습니다 / 맛이 있습니다.

→ 비빔밥이 좀 맵**지만** 맛이 있습니다.

1) 구두가 비쌉니다 / 사고 싶습니다.

2) 지하철은 복잡합니다 / 빠릅니다.

3) 배가 부릅니다 / 더 먹고 싶습니다.

2. 다음 보기와 같이 대화를 완성하십시오.

┤보기├

가 : 그 영화가 어떻습니까?

나 : 좀 길**지만** 재미있습니다.

1) 가 : 기숙사 생활이 어떻습니까?

　　나 : _____지만 재미있습니다.

2) 가 : 한국 음식이 어떻습니까?

　　나 : _____지만 맛있습니다.

3) 가 : 이 옷을 사고 싶습니까?

　　나 : 예, _____지만 _____.

4) 가 : 백화점 물건이 어떻습니까?

　　나 : _____.

5) 가 : _____?

　　나 : _____.

3. 다음 표를 보고 대화를 완성하십시오.

		출발 시간	도착 시간	교통수단
1	서울 → 제주도	10 : 00	10 : 45	비행기
2	서울 → 강릉	9 : 00	12 : 30	고속버스
3	서울 → 경주	1 : 00	5 : 00	기차
4	잠실 → 신촌	7 : 40	8 : 30	지하철
5	어학당 → 도서관	2 : 00	2 : 15	걸어서
6	집 → 어학당			

1) 가 : 서울에서 제주도까지 얼마나 걸립니까?

　　나 : _____.

2) 가 : 서울_____ 강릉_____ 몇 시간쯤 걸립니까?

　　나 : _____.

3) 가 : 서울_____ 경주_____?

　　나 : _____.

4) 가 : 잠실에서 신촌까지 지하철로 얼마나 걸립니까?

　　나 : _____.

5) 가 : _____?

　　나 : _____.

6) 가 : _____?

　　나 : _____.

1. 다음 보기와 같이 대화를 완성하십시오.

> ┤보기├
>
> 가 : 오늘 만날**까요**?
>
> 나 : 아니오, 오늘은 시간이 없**으니까** 내일 만**납시다.**

1) 가 : 창문을 열까요?

　　나 : 예, _____ (으)니까 여십시오.

2) 가 : 사전을 살까요?

　　나 : 아니오, _____ (으)니까 _____ 지 맙시다.

3) 가 : 맥주를 더 시킬까요?

　　나 : 아니오, 많이 있으니까 _____.

4) 가 : 영화를 볼까요?

　　나 : 예, _____.

5) 가 : _____?

　　나 : _____.

2. 알맞은 형태로 고치십시오. ('ㅂ' 동사)

동사	Vst습니다	Vst(으)니까	Vst었(았)습니다
덥다	덥습니다		더웠습니다
맵다		매우니까	
쉽다	쉽습니다		
아름답다		아름다우니까	
어렵다			어려웠습니다
* 입다		입으니까	
* 잡다			잡았습니다

4

1. 다음 보기와 같이 문장을 완성하십시오.

┤보기├

시장에 갑니다 / 과일을 삽니다.

시장에 **가서** 과일을 삽니다.

1) 도서관에 가겠습니다 / 책을 빌리겠습니다.

2) 학생들이 의자에 앉습니다 / 공부합니다.

3) 편지를 씁니다 / 부모님께 보냅니다.

4) 택시에서 내립니다 / 육교로 건너십시오.

2. 다음 그림을 보고 대화를 완성하십시오.

1) 가 : 친구를 만나서 무엇을 하겠습니까?

　　나 : ＿＿＿＿＿＿＿＿＿ 어(아, 여)서 ＿＿＿＿＿＿＿＿＿.

2) 가 : 꽃을 사서 누구에게 주고 싶습니까?

　　나 : ＿＿＿＿＿＿＿＿＿ 어(아, 여)서 ＿＿＿＿＿＿＿＿＿.

3) 가 : _____ 어디에 가고 싶습니까?

　　나 : _____ 어(아, 여)서 _____.

4) 가 : _____ ?

　　나 : _____ 어(아, 여)서 _____.

1. 맞는 답을 고르십시오.

1) 돈을 (모으고, 모아서) 차를 사고 싶습니다.

2) 고향에 (돌아가고, 돌아가서) 부모님을 만나겠습니다.

3) 날마다 이를 (닦고, 닦아서) 잡니다.

4) 손을 (씻고, 씻어서) 아침을 먹습니다.

5) 버스에서 (내리고, 내려서) 오른쪽으로 가십시오.

6) 빨간 모자를 (쓰고, 써서) 농구를 했습니다.

7) 205번 버스를 (타고, 타서) 집에 가겠습니다.

8) 이 영화를 (보고, 봐서) 울었습니다.

9) 사전을 (빌리고, 빌려서) 단어를 찾았습니다.

10) 아침에 (일어나고, 일어나서) 운동을 합니다.

2. 맞는 형태로 고치십시오. ('르' 불규칙 동사)

동사	-ㅂ니다	-었(았)습니다	-겠습니다	-어(아)서
고르다	고릅니다		고르겠습니다	골라서
다르다		달랐습니다	다르겠습니다	
모르다				
빠르다		빨랐습니다		
부르다	부릅니다			불러서
흐르다	흐릅니다			

♣ 같이 찾아 봅시다.

〈보기〉

질문1) 맥주에서 시작합니다. 위로 둘 가십시오. 왼쪽으로 하나 가십시오. 무엇이 있습니까?

대답1) 텔레비전이 있습니다.

책		사과			☂			✿
			🚗			연필		
👓				딸기				
	배						👕	
			양말		🎂			
		☕					🎀	🐟
냉면				🖼				
					📺		갈비	
		김치						⚽
	👠		🏠		🍺			

80

1. 다음 보기 중에서 알맞은 말을 골라 문장을 완성하십시오.

┤보기├

-지만, -(으)니까, -고, -어(아, 여)서

1) 실례입니다 / 이름이 무엇입니까?

2) 이를 닦습니다 / 잡니다

3) 버스가 복잡합니다 / 택시를 타십시오

4) 제주도가 조용합니다 / 아름답습니다

5) 백화점에 갔습니다 / 부모님 선물을 샀습니다.

6) 사진을 찍었습니다 / 부모님께 보냈습니다.

7) 할아버지께서 주무십니다 / 조용히 합시다.

8) 전화를 걸었습니다 / 약속을 했습니다.

9) 식당에 가지 않습니다 / 집에서 점심을 먹습니다.

10) 인삼차가 맛이 있습니다 / 오늘은 주스를 마시고 싶습니다.

2. 다음 ( ) 속의 동사를 적당히 고치십시오.

1) 시험이 _____(으)니까 걱정하지 마십시오. (쉽다)

2) 남대문 시장에서 물건을 많이 _____(ㅂ)습니다. (팔다)

3) 친구가 책을 _____어(아, 여) 줬습니다. (고르다)

4) 이 일 좀 _____어(아, 여) 주십시오. (돕다)

5) 처음에는 한국말을 _____었(았, 였)지만 지금은 조금 압니다.

(모르다)

6) 날씨가 _____(으)니까 옷을 더 입으십시오. (춥다)

3. 다음 그림을 보면서 이야기 해 봅시다.

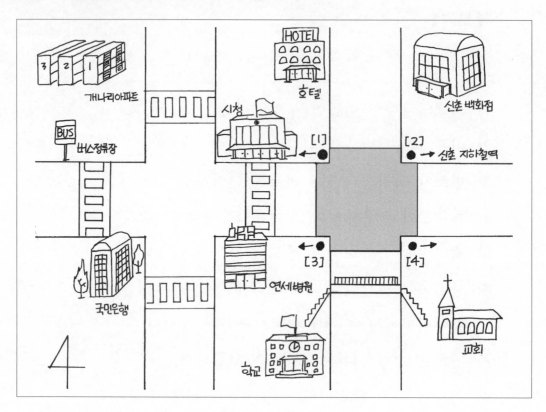

왼쪽, 오른쪽, 위, 아래, 육교(⌂), 지하도(▭)
횡단보도(▯▯▯▯), 올라가다, 내려가다, 똑바로, 출입구

1) 가 : 학교에서 교회까지 어떻게 갑니까?

　　나 : _____.

2) 가 : 여기서(연세병원) 개나리 아파트까지 어떻게 갑니까?

　　나 : _____.

3) 가 : 실례지만 교회가 어디에 있습니까?(여기는 신촌 백화점)

　　나 : _____.

4) 가 : _____?

　　나 : _____.

말하기 연습(제 5 과)

수업이 끝나고 어느 쪽으로 가십니까?			
오늘 오후에 무엇을 하시겠습니까?			
어디로 여행을 가시 겠습니까? 왜 그곳 에 가고 싶습니까? 무엇으로 가시겠습 니까?			
한국에 언제까지 계 시겠습니까? 고향에 돌아가면 무엇을 하 시겠습니까?			
어느 식당에 자주 가십니까? 여기에서 그 식당까지 어떻게 갑니까? 여기에서 거기까지 몇 분쯤 걸립니까?			

〈계속하기〉

* (택시에서)

가 : 어디로 갈까요?

나 :

가 :

나 :

* (길에서)

가 : 길 좀 묻겠습니다.

나 :

가 :

나 :

1. 다음 단어로 문장을 만드십시오.

> **┃보기┃**
>
> 나는 전화를 했습니다. (친구)
>
> → 나는 친구**한테** 전화를 했습니다.

1) 친구가 선물을 줬습니다. (나)

2) 나는 편지를 썼습니다. (부모님)

3) 오빠가 장난감을 사 줬습니다. (동생)

2. 다음 보기와 같이 문장을 만드십시오.

> **┃보기┃**
>
> 가 : 날씨가 좋습니다.
>
> → 나 : 날씨가 **좋군요.**

1) 가 : 피자가 맛있습니다.

　　나 : _____.

2) 가 : 지하철에 사람이 많습니다.

　　나 : _____.

3) 가 : 아이가 책을 잘 읽습니다.

　　나 : _____.

4) 가 : 노래를 잘 합니다.

　　나 : _____.

5) 가 : 마이클 씨가 학교에 안 오셨습니다.

　　나 : _____.

6) 가 : 엘리베이터가 고장났습니다.

　　나 : _____.

제 **6** 과

1. 다음 두 문장을 한 문장으로 만드십시오.

┤보기├

피곤합니다. /일찍 잡니다.

피곤**해서** 일찍 잡니다.

1) 백화점이 할인 판매를 합니다 / 손님이 많습니다.

   _____.

2) 눈이 많이 왔습니다 / 길이 막힙니다.

   _____.

3) 꽃이 피었습니다 / 정원이 아름답습니다.

   _____.

85

2. 다음 질문을 읽고 대답하십시오.

┤보기├

가 : 왜 학교에 안 왔습니까?

나 : 머리가 **아파서** 학교에 안 왔습니다.

1) 가 : 왜 점심을 안 먹습니까?

   나 : _____.

2) 가 : 왜 술을 마십니까?

   나 : _____.

3) 가 : 왜 숙제를 안 했습니까?

   나 : _____.

3. 다음 보기와 같이 문장을 고치십시오.

┤보기├

가 : 옷이 쌉니다.　　　　　　　나 : 옷이 **싸요.**

1) 학생들이 많습니다.

_____.

2) 방이 큽니다.

_____.

3) 열심히 공부합니다.

_____.

4) 고추장이 맵습니다.

_____.

4. 다음 보기와 같이 문장을 고치십시오.

┤보기├

가 : 학생입니다.　　　　　　　나 : 학생**이에요.**

1) 강아지입니다.

_____.

2) 거울입니다.

_____.

3) 선생님입니다.

_____.

4) 의사가 아닙니다.

_____.

1. 다음 표를 보고 'N 전에'하고 'Vst기 전에'를 사용하여 문장을 완성 하십시오.

죤슨 씨의 하루			
오전		오후	
7 : 00	세수를 합니다	1 : 00	점심 식사
7 : 15	아침 식사	2 : 00	회사에 갑니다
7 : 30	신문을 봅니다	3 : 30	회의
8 : 00	지하철을 탑니다	6 : 00	퇴근
8 : 45	식당에서 커피를 마십니다	7 : 10	저녁 식사
9 : 00	수업	11 : 00	일기를 씁니다.

1) 나는 _____ 전에 세수를 했습니다.

2) 그리고 학교에 가기 전에 _____.

3) _____ 커피를 마셨습니다.

4) _____ 점심을 먹었습니다.

5) _____ 회의가 있었습니다.

2. 두 문장을 연결하십시오.

DVst＋(으)ㄴ＋N

1) 착합니다 / 여자를 만나고 싶습니다.

2) 비쌉니다 / 옷을 샀습니다.

3) 우리는 모두 다릅니다 / 나라에서 왔습니다.

4) 배가 고픕니다 / 사람이 누구입니까?

5) 나쁩니다 / 말을 하지 마십시오.

6) 싸고 좋습니다 / 물건을 삽시다.

7) 먹고 싶습니다 / 음식이 뭐예요?

8) 겨울은 춥습니다 / 계절입니다.

있다/없다 + 는 + N

---

1) 의자 밑에 있습니다 / 가방이 제 가방입니다.

2) 짧고 재미있습니다 / 이야기를 아십니까?

AVst + 는 + N

---

1) 저기에서 기다립니다 / 사람이 누구예요?

2) 지금 하품합니다 / 아가씨는 어느 나라 사람이에요?

3) 지금 읽습니다 / 책이 무슨 책입니까?

4) 제가 씁니다 / 연필이 좋아요.

5) 잘 부릅니다 / 노래가 뭐예요?

6) 미선 씨 전화번호를 압니다 / 사람이 있습니까?

3. 다음 질문에 대답하십시오.

1) 요즘 재미있는 일이 있어요?

2) 어머니가 잘 만드시는 음식이 뭐예요?

3) 키가 큰 남자(여자)가 좋아요? 키가 작은 남자(여자)가 좋아요?

4) 지금 제일 만나고 싶은 사람이 누구예요?

4

1. 다음 보기와 같이 문장을 고치십시오.

> ┤보기├────────────────────────────────
>
> 가십시오
>
> → **가세요.**
>
> ──────────────────────────────────────

1) 안녕하십니까?   _____?

2) 안녕히 계십시오.   _____.

3) 많이 잡수십시오.   _____.

4) 할아버지께서 주무십니다.   _____.

2. 두 문장을 연결하십시오.

> ┌────────────────────────────────────┐
> │   │
> │ AVst + (으)ㄴ + N   │
> │   │
> └────────────────────────────────────┘

1) 이것은 어제 배웠습니다 / 단어입니다.

2) 영국에서 왔습니다 / 분이 누구입니까?

3) 이 분은 공항에서 만났습니다 / 친구입니다.

4) 제가 보냈습니다 / 편지를 받았습니까?

5) 이것은 어제 읽었습니다 / 책입니다.

6) 그 영화를 보고 울었습니다 / 사람이 많습니다.

7) 전화를 걸었습니다 / 분이 박 선생님입니다.

8) 어제 길에서 들었습니다 / 노래를 듣고 싶습니다.

AVst + (으)ㄹ + N

---

1) 다음 주에 호주에 가겠습니다 / 친구에게 전화했습니다.

2) 오늘 하겠습니다 / 일이 많습니까?

3) 내일 아침에 입겠습니다 / 바지가 있습니까?

4) 시내에서 형을 만나겠습니다 / 약속이 있습니다.

5) 동생에게 주겠습니다 / 선물을 샀습니다.

6) 쉬겠습니다 / 시간이 없습니다.

7) 다음 정류장에서 내리겠습니다 / 사람은 벨을 누르십시오.

| AVst 는 N | AVst (으)ㄹ N |
| AVst (으)ㄴ N | DVst (으)ㄴ N |

---

1) 그 분은 모릅니다 / 사람입니다.

2) 외국에 있습니다 / 친구한테 편지를 씁니다.

3) 공부하겠습니다 / 시간이 없습니다.

4) 어제 만났습니다 / 분이 누구입니까?

5) 좋습니다 / 친구가 있습니까?

6) 태권도를 배우겠습니다 / 학생이 몇 명입니까?

7) 그 식당에서 먹었습니다 / 만두가 참 맛이 있었습니다.

8) 그녀는 언제나 웃습니다 / 얼굴입니다.

9) 이것은 쉽습니다 / 문제입니다.

10) 어제 인사했습니다 / 사람 이름을 모르겠습니다.

11) 김치를 좋아합니다 / 외국 사람이 많습니까?

1. 맞는 형태로 고치십시오. ('ㄷ'불규칙 동사)

	-어 -아서 -여	-어 -아요 -여	-었 -았습니다 -였	-(으)니까	-(으)ㄹ까요?
걷다	걸어서				
듣다		들어요			
묻다				물으니까	물을까요?
싣다			실었습니다		

2. 동사를 맞게 고치십시오.

1) 짐을 많이 _____(으)ㄴ 차를 봤습니다. (싣다)

2) 지하철이 _____어(아, 여)서 좋습니다. (빠르다)

3) 그 사람 이름을 _____(으)세요? (알다)

4) 저는 _____(으)ㄴ 음식을 싫어합니다. (맵다)

5) 날씨가 좋으니까 밖에서 _____(으)ㅂ시다. (놀다)

6) 싼 물건을 _____어(아, 여)서 사세요. (고르다)

7) 친구가 제 이름을 _____었(았, 였)어요. (부르다)

8) 이 문제가 _____(으)니까 좀 _____어(아, 여) 주십시오.

　　　　　　　　　　　　　　　　　　　　　(어렵다, 돕다)

9) _____(으)ㄴ 음식은 이에 좋지 않습니다. (달다)

10) 친구한테 한국 주소와 전화번호를 _____었(았, 였)어요. (묻다)

1. 틀린 것을 고치십시오.

1) 아버지와 저는 생각이 많이 <u>달릅니다</u>.

2) 제 동생이 노래를 잘 <u>부러요</u>.

3) 하숙집에서 <u>살으니까</u> 친구들을 많이 만나요.

4) 날씨가 <u>춥으니까</u> 옷을 많이 입으세요.

5) 제가 이 시계를 <u>고르었어요</u>.

6) 이 노래를 <u>듣으니까</u> 기분이 좋군요.

7) 오래간만에 친구를 만나서 <u>반가왔습니다</u>.

8) 어제 다방에서 차도 마시고 음악도 <u>들었습니다</u>.

9) 시험이 <u>쉽어서</u> 백점을 받았어요.

10) 학교에서 집까지 <u>멀습니다</u>.

2. 다음 두 문장을 연결하십시오.

___어(아, 여)서	___고	___(으)니까
___는	___(으)ㄴ	___(으)ㄹ

1) 나는 서점에 갔습니다 / 한일 사전을 샀습니다.

2) 형은 대학교를 졸업했습니다 / 은행에 다닙니다.

3) 지금 시험을 봅니다 / 조용히 하십시오.

4) 이 구두는 3년 전에 샀습니다 / 구두입니다.

5) 이 노래는 제가 노래방에서 자주 부릅니다 / 노래입니다.

6) 어제는 머리가 아팠습니다 / 학교에 오지 않았습니다.

7) 저 분은 다음 주부터 우리를 가르치겠습니다 / 선생님입니다.

3. **다음 대화를 완성하십시오.**

1) 가 : 요즘 누구한테 자주 전화를 겁니까?

나 : _____ .

2) 가 : 왜 학교에 늦게 오셨습니까?

나 : _____ 어(아, 여)서 _____ .

3) 가 : 어제 배가 아파서 잠을 자지 못했습니다.

나 : _____ (으)시겠습니다.

4) 가 : 고향에 돌아가기 전에 무엇을 하고 싶습니까?

나 : _____ .

5) 가 : 어떤 남자/여자를 좋아하십니까?

나 : _____ .

6) 가 : 모르는 것이 있어요. 누구한테 물어요?

나 : _____ .

7) 가 : 주말에는 무엇을 하시겠어요?

나 : _____ 도 _____ 고 _____ 도 _____ .

말하기 연습(제 6 과)

언제 한국에 오셨습니까?			
한국에서 여행한 곳이 어디입니까?			
한국에서 무엇을 하십니까? 한국에 오기 전에 무엇을 하셨습니까?			
친구가 많습니까? 어떤 친구를 좋아합니까?			
친구 집에 초대를 받았습니다. 무엇을 가지고 가겠습니까?			
어디로 갑니까? 뭘 타고 갑니까? 얼마나 걸립니까?			
친구 집에 가서 무엇을 먹습니까? 무슨 이야기를 합니까?			
다음 주부터 방학입니다. 이번 방학에 뭘 할 계획입니까?			

불규칙 동사 연습(제 6 과)

기본형	-ㅂ/습니다	-었 -았습니다 -였	-었습니다	-어 -아서 -여	-(으)니까	AV는 DV(으)ㄴ N
ㄹ동사 열다						
살다						
놀다						
팔다						
만들다						
달다						
ㅂ동사 맵다						
쉽다						
어렵다						
춥다						
덥다						
아름답다						

기본형		-ㅂ/습니다	-었/-았습니다/-였	-겠습니다	-어/-아서/-여	-(으)니까	AV는 / DV(으)ㄴ / N
ㄷ 동 사	걷다 듣다 묻다						
이 동 사	아프다 바쁘다 예쁘다 기쁘다 슬프다						
ㄹ 동 사	고르다 부르다 모르다 다르다 빠르다						

1. 다음 보기와 같이 대화를 만드십시오.

┤보기├

가 : 내일 어디에 **갈 거예요?**

나 : 내일 민속촌에 **갈 거예요.**

1) 가 : 오늘 저녁에 집에 있을 거예요?

　　나 : 아니오, ＿＿＿＿＿＿＿＿＿＿＿＿＿＿＿＿＿＿＿＿.

2) 가 : 주말에 뭘 할 거예요?

　　나 : ＿＿＿＿＿＿＿＿＿＿＿＿＿＿＿＿＿＿＿＿＿＿＿.

3) 가 : ＿＿＿＿＿＿＿＿＿＿＿＿＿＿＿＿＿＿＿＿＿＿＿.

　　나 : 영미 씨하고 음악회에 갈 거예요.

2. 다음 보기와 같이 대화를 만드십시오.

┤보기├

가 : 내일 날씨가 **좋을까요?**

나 : 아마 비가 **올 거예요.**

1) 가 : 그 영화가 재미있을까요?

　　나 : ＿＿＿＿＿＿＿＿＿＿＿＿＿＿＿＿＿＿＿＿＿＿＿.

2) 가 : 이번 학기말 시험이 어떨까요?

　　나 : ＿＿＿＿＿＿＿＿＿＿＿＿＿＿＿＿＿＿＿＿＿＿＿.

3) 가 : ＿＿＿＿＿＿＿＿＿＿＿＿＿＿＿＿＿＿＿＿＿＿＿.

　　나 : 비싸지만 맛이 있을 거예요.

3. 다음 보기와 같이 문장을 만드십시오.

┤보기├

_____**기 때문에** 공항에 나갔어요.

→ 미국에서 부모님이 오시**기 때문에** 공항에 나갔어요.

1) _____기 때문에 한국말이 어렵습니다.

2) _____기 때문에 집에 일찍 갔습니다.

3) _____기 때문에 회사에 가지 않습니다.

4) 방학이기 때문에 _____.

5) 이 그림이 너무 비싸기 때문에 _____.

6) 어제 술을 많이 마셨기 때문에 _____.

1. 오늘 한국의 날씨는 어떻습니까?

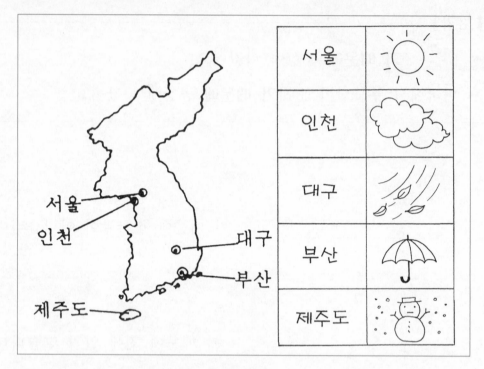

서울	☀
인천	☁
대구	🍃
부산	☂
제주도	⛄

1) 오늘 서울의 날씨는 어떻습니까? _____.

2) 오늘 대구의 날씨는 어떻습니까? _____.

3) 오늘 부산의 날씨는 어떻습니까? _____.

4) 오늘 제주도의 날씨는 어떻습니까? _____.

2. 다음 질문에 대답하십시오.

1) 가 : 피곤한데 어떻게 하죠?

   나 : _____.

2) 가 : 이 단어를 모르는데 어떻게 하죠?

   나 : _____.

3) 가 : _____.

   나 : 그럼 제 볼펜을 쓰세요.

4) 가 : _____.

   나 : 그럼 버스를 탑시다.

3. 'Vst는/(으)ㄴ/(으)ㄹ 것 같아요'를 써서 문장을 완성하십시오.

1) 가 : 오늘 비가 올 것 같아요?

　　나 : ＿＿＿＿＿＿＿＿＿＿＿＿＿＿＿＿＿.

2) 가 : 이 음식이 맛있을까요?

　　나 : ＿＿＿＿＿＿＿＿＿＿＿＿＿＿＿＿＿.

3) 가 : 영수 씨가 공부하는 것 같아요?

　　나 : ＿＿＿＿＿＿＿＿＿＿＿＿＿＿＿＿＿.

4) 가 : 두 사람이 서로 사랑하는 것 같아요?

　　나 : ＿＿＿＿＿＿＿＿＿＿＿＿＿＿＿＿＿.

5) 가 : 미선 씨가 기분이 좋은 것 같아요?

　　나 : ＿＿＿＿＿＿＿＿＿＿＿＿＿＿＿＿＿.

6) 가 : 죤슨 씨가 외로운 것 같아요?

　　나 : ＿＿＿＿＿＿＿＿＿＿＿＿＿＿.

7) 가 : 죤슨 씨가 시험을 잘 본 것 같아요?

　　나 : ＿＿＿＿＿＿＿＿＿＿＿＿＿＿.

8) 가 : 영수 씨가 어제 무엇을 한 것 같아요?

　　나 : ＿＿＿＿＿＿＿＿＿＿＿＿＿＿.

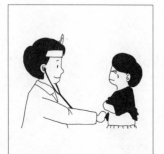

9) 가 : 미국 사람인 것 같아요?

　　나 : 아니오, ＿＿＿＿＿＿＿＿＿＿.

10) 가 : 의사 선생님인 것 같아요?

　　나 : 예, ＿＿＿＿＿＿＿＿＿＿＿＿.

1. 다음 보기와 같이 대화를 만드십시오.

┤보기├

가 : **어느** 것이 좋습니까?

나 : 그것이 좋습니다.

1) 가 : _____.

　　나 : 봄을 좋아합니다.

2) 가 : _____.

　　나 : 연대에 다닙니다.

3) 가 : _____.

　　나 : 남대문 시장이 유명합니다.

2. 다음 질문에 대답을 하십시오.

┤보기├

가 : 과일 **중에서** 무슨 과일을 **제일** 좋아합니까?

나 : 감을 제일 좋아합니다.

1) 가 : 가수 중에서 어느 가수를 제일 좋아합니까?

　　나 : _____.

2) 가 : 영화 중에서 무슨 영화가 제일 재미있습니까?

　　나 : _____.

3) 가 : 서울에서 어디에 제일 가고 싶습니까?

　　나 : _____.

3. 서로 어울리는 문장끼리 줄을 긋고 한 문장으로 만드십시오.

날씨가 좋습니다 •─────────• 걸을까요?

심심합니다 •   • 사고 싶습니다

학생들이 공부합니다 •   • 배가 고픕니다.

그 모자가 비쌉니다 •   • 떠들지 마십시오

점심을 먹었습니다 •   • 극장에 갈까요?

┃보기┃

날씨가 좋은데 걸을까요?

1) _____ ?

2) _____ .

3) _____ .

4) _____ .

4

1. 다음 보기와 같이 문장을 만드십시오.

┤보기├

가 : 잘 잤습니까?

나 : 아니오, 잘 **자지 못했습니다.**

가 : 왜 잘 **자지 못했습니까?**

나 : 친구가 코를 골아서 잘 **자지 못했습니다.**

1) 가 : 백화점에서 선물을 많이 샀습니까?

　　나 : 아니오, ＿＿＿＿＿＿＿＿＿＿＿＿＿＿＿＿＿ .

　　가 : 왜 ＿＿＿＿＿＿＿＿＿＿＿＿＿＿＿＿＿＿ ?

　　나 : ＿＿＿＿＿＿＿＿ 어(아, 여)서 ＿＿＿＿＿＿＿ .

2) 가 : ＿＿＿＿＿＿＿＿＿＿＿＿＿＿＿＿＿＿＿ ?

　　나 : 아니오, ＿＿＿＿＿＿＿＿＿＿＿＿＿＿＿＿＿ .

　　가 : 왜 ＿＿＿＿＿＿＿＿＿＿＿＿＿＿＿＿＿＿ ?

　　나 : ＿＿＿＿＿＿＿＿ 어(아, 여)서 ＿＿＿＿＿＿＿ .

2. 다음 상황에 맞는 대화를 완성하십시오.

┤보기├

상황 : 새 자동차를 샀습니다.

가 : 이 자동차가 어때요?

나 : 아주 멋있는데요.

1) 상황 : 설렁탕을 먹습니다.

　　가 : 좀 싱겁지요?

　　나 : ＿＿＿＿＿＿＿＿＿＿＿＿＿＿＿＿＿＿＿ .

2) 상황 : 전화를 합니다.

가 : 서울은 날씨가 좋은데 시카고는 어때요?

나 : _____.

3) 상황 : 옷가게에 갔습니다.

가 : 이 옷이 손님에게 잘 어울릴 것 같습니다.

나 : _____.

4) 상황 : 남편이 부인에게 묻습니다.

가 : 지금 뭐 해요?

나 : _____.

3. ( ) 안의 동사를 맞게 바꾸십시오.

죤슨 씨의 일기

지난 주말에 다나까 씨와 함께 롯데월드에 갔습니다. 길을 잘
_____ 어(아, 여)서 여러 사람에게 _____었(았, 였)습니다.
(모르다)   (묻다)
주말이어서 사람들이 많았습니다. 사진을 찍는 학생들, 친구와 함께
_____ 아이들, 물건을 _____ 사람들 ...
(놀다)   (팔다)
우리는 배가 _____ 어(아, 여)서 _____ (으)ㄴ 식당에 갔습니다.
           (고프다)   (가깝다)
우리는 오징어덮밥을 시켰습니다. 조금 _____었(았, 였)지만 맛있
                              맵다
었습니다. 식당에서 나와서 그냥 _____었(았, 였)습니다. 여기저기
                          (걷다)
구경도 하고 기구도 탔습니다. 아주 _____었(았, 였)습니다. 우리
                          (즐겁다)
는 7시쯤 집에 왔습니다. 나라와 말과 문화는 _____었(았, 였)지
                                    (다르다)
만 다나까 씨와 나는 친한 친구가 됐습니다.

---

1. 다음 문장을 완성하십시오.

1) 피곤합니다 / 집에서 쉬십시오.

_____(으)면 _____.

2) 시간이 있습니다 / 제주도에 가고 싶습니다.

_____(으)면 _____.

3) _____(으)면 수영장에 갑시다.

4) 수업이 없으면 _____.

5) 가 : 식당에 사람이 많으면 어떻게 할까요?

나 : _____(으)면 _____.

6) 가 : _____?

나 : _____.

2. 다음 대화를 완성하십시오.

1) 가 : 스키를 탈 수 있습니까?

나 : 예, _____.

스키	수영

2) 가 : _____?

나 : 예, _____.

피아노	장구

3) 가 : _____?

나 : 아니오, _____.

~~한국신문~~	영자신문

3. 다음 보기와 같이 문장을 완성하십시오.

┤보기├

가 : 극장에 **갈 수 있습니까?**

나 : 아니오, 극장에 **갈 수 없습니다.**

가 : 왜 극장에 **갈 수 없습니까?**

나 : 내일 시험이 **있어서 갈 수 없습니다.**

---

1) 가 : 한국말을 잘 할 수 있습니까?

   나 : 아니오, _____.

   가 : 왜 한국말을 잘 할 수 없습니까?

   나 : _____.

2) 가 : 운전할 수 있습니까?

   나 : 아니오, _____.

   가 : 왜 _____?

   나 : _____.

3) 가 : 내일 학교에 일찍 올 수 있습니까?

   나 : 아니오, _____.

   가 : 왜 _____?

   나 : _____.

4) 가 : 수업이 끝나고 만날 수 있습니까?

   나 : 아니오, _____.

   가 : 왜 _____?

   나 : _____.

1. 다음 문장을 완성하십시오.

1) 비가 오고 _____.

2) 비가 오니까 _____.

3) 비가 와서 _____.

4) 비가 오기 때문에 _____.

5) 비가 오는데 _____.

6) 비가 오면 _____.

7) 비가 오지만 _____.

2. 두 문장을 연결하십시오.

____(으)ㄴ데	____는데	____었(았, 였)는데
____어(아, 여)서	____(으)면	____고

1) 어제 배웠습니다. 잊어 버렸습니다.

2) 한식은 수저로 먹습니다. 일식은 어떻습니까?

3) 쉬지 못합니다. 피곤합니다.

4) 눈이 많이 옵니다. 일찍 떠납시다.

5) 돈이 모자랍니다. 어떻게 하지요?

6) 여기에 앉습니다. 기다립시다.

7) 술을 조금 마십니다. 한국말을 더 잘 합니다.

8) 친구 이야기도 했습니다. 가족 이야기도 했습니다.

3. 대답하십시오.

1) 가 : 일본말을 할 수 있습니까?

　　나 : 아니오, _____.

2) 가 : 친구가 한국에 오면 어디에 같이 갈 거예요?

　　나 : _____.

3) 가 : 학교에서 공항까지 택시비가 얼마나 나올까요?

　　나 : _____.

4) 가 : 이 옷이 예쁘지만 너무 비싸군요. 살까요?

　　나 : 너무 비싼데 _____.

5) 가 : 지금까지 여행한 곳 중에서 어디가 제일 좋았어요?

　　나 : _____.

6) 가 : 못하는 운동이 뭐예요?

　　나 : _____.

7) 가 : 한국 차인데 맛이 어떻습니까?

　　나 : _____ (으)ㄴ/는데요.

8) 가 : 눈이 오면 무엇을 하고 싶습니까?

　　나 : _____.

4. 질문을 만드십시오.

1) 가 : _____ .

   나 : 시간이 없기 때문에 결혼식장에 갈 수 없습니다.

2) 가 : _____ (으)ㄴ/는데 _____ ?

   나 : 걱정하지 마세요. 이 우산을 쓰세요.

3) 가 : _____ .

   나 : 아니오, 그 사람은 항상 바쁘니까 지금 집에 없을 거예요.

4) 가 : _____ .

   나 : 심심하면 책을 읽어요.

5. 다음 단어에 공통된 말을 찾으십시오.

> ┤보기├
>
> 서울, 부산, 대구, 인천, 강릉 답 : 도시

1) 맑다, 흐리다, 구름이 끼다, 바람이 불다, 춥다 답 : ☐☐

2) 한빛, 국민, 하나, 조흥, 외환 답 : ☐☐

3) 눈, 종이, 와이셔츠, 안개꽃, 우유 답 : ☐☐☐

4) 땀, 눈물, 화, 교통사고, 이, 답 : ☐ 다

5) 먼지, 눈, 빨래, 스트레스, 일 답 : ☐☐ 다

6) 미역국, 카드, 케이크, 꽃, 선물 답 : ☐☐

7) 시청, 신도림, 사당, 교대, 동대문 역 답 : ☐☐☐☐∨

말하기 연습(제 7 과)

돈(또는 시간)이 많이 있으면 무엇을 하고 싶으세요?			
언제 스트레스가 쌓여요? 스트레스가 쌓이면 어떻게 하세요?			
어느 계절을 좋아하세요? 왜 그 계절이 좋아요?			
약속(또는 시간)을 잘 지키세요? 예 : 보통 몇 분 전에 약속 장소에 나가세요? 아니오 : 왜 잘 지키지 않으세요?			
무슨 운동을/요리를 잘 할 수 있어요?			

1. 다음 보기와 같이 문장을 완성하십시오.

┤보기├

가 : 날씨가 **좋은데** 여행을 갈까요?

나 : 시험이 **있으니까** 가지 맙시다.

1) 가 : 사람이 많은데 다른 식당에 갈까요?

　　나 : ＿＿＿＿＿＿＿＿＿＿(으)니까 ＿＿＿＿＿＿＿＿＿.

2) 가 : 경치가 좋은데 여기에서 사진을 찍을까요?

　　나 : ＿＿＿＿＿＿＿＿＿＿(으)니까 ＿＿＿＿＿＿＿＿＿.

3) 가 : 피곤한데 오늘은 그만 할까요?

　　나 : ＿＿＿＿＿＿＿＿＿＿(으)니까 ＿＿＿＿＿＿＿＿＿.

2. 다음 보기와 같이 문장을 완성하십시오.

┤보기├

가 : 이 세탁기는 마음에 드는데 너무 비싸요.

나 : **비싸면** 사지 맙시다.

1) 가 : 이 샌드위치는 맛이 없어요.

　　나 : ＿＿＿＿＿＿＿＿＿＿(으)면 ＿＿＿＿＿＿＿＿＿.

2) 가 : 오늘은 백화점에 사람이 많아요.

　　나 : ＿＿＿＿＿＿＿＿＿＿(으)면 ＿＿＿＿＿＿＿＿＿.

3) 가 : 그 모임에 가고 싶지 않아요.

　　나 : ＿＿＿＿＿＿＿＿＿＿(으)면 ＿＿＿＿＿＿＿＿＿.

3. 알맞은 말을 골라 ( ) 안에 쓰십시오.

> 그리고, 그래서, 그러면, 그렇지만

┃보기┃

이건 오천 원입니다. (그리고) 저건 만 원입니다.

1) 버스가 안 왔습니다. (   ) 걸어서 왔습니다.

2) 머리가 아팠습니다. (   ) 약을 안 먹었습니다.

3) 학생 식당에서는 한식을 팝니다. (   ) 분식과 양식도 팝니다.

4) 전화를 걸고 싶습니다. (   ) 근처에 공중전화가 없습니다.

5) 숙제를 선생님께 드립니다. (   ) 빨간 볼펜으로 고쳐 주십니다.

6) 그 다방은 값이 쌉니다. (   ) 분위기도 좋습니다.

7) 스즈끼 씨는 한국에서 오래 살았어요. (   ) 한국 친구가 많습니다.

8) 고향에 가면 편지를 하십시오. (   ) 저도 답장을 쓰겠습니다.

9) 피곤합니다. (   ) 집에 일찍 왔습니다.

10) 저는 매운 음식을 좋아해요. (   ) 제 남편은 싫어해요.

1. 다음 보기와 같이 문장을 완성하십시오.

┤보기├

가 : 오늘이 일요일**이 아닙니까?**

나 : 일요일**이 아닙니다.** 월요일**입니다.**

1) 가 : 저 과일이 참외가 아닙니까?

　　나 : _____. 딸기입니다.

2) 가 : _____.

　　나 : 2급 교실이 아닙니다. 1급 교실입니다.

3) 가 : _____?

　　나 : 이 택시는 일반택시가 아닙니다. 모범택시입니다.

2. 다음 보기와 같이 문장을 완성하십시오.

┤보기├

가 : 갈비를 더 시킬까요?

나 : 배가 부르**지 않아요?**

1) 가 : 저는 요즘 한국 뉴스를 들어요.

　　나 : _____지 않아요?

2) 가 : 대사관까지 걸어 갑시다.

　　나 : _____지 않아요?

3) 가 : 오늘 박물관에 갈까요?

　　나 : _____지 않아요?

1. 다음 보기와 같이 문장을 완성하십시오.

┤보기├

가 : 등산을 **하려고 합니까?**

나 : 예, 등산을 **하려고 합니다.**

1) 가 : 대학원에 가려고 합니까?

　　나 : _____ .

2) 가 : 누구하고 부산을 여행하려고 합니까?

　　나 : _____ .

3) 가 : 무슨 신발을 사려고 합니까?

　　나 : _____ .

2. 다음 보기와 같이 문장을 완성하십시오.

┤보기├

가 : 방학 **때** 어디에 갈 거예요?

나 : 방학 **때** 할머니 댁에 갈 거예요.

1) 가 : 일이 없을 때 뭘 해요?

　　나 : _____ .

2) 가 : _____ 때 어디에 가요?

　　나 : _____ 때 _____ .

3) 가 : _____ 때 날씨가 어땠어요?

　　나 : _____ 때 _____ .

1. 'AVst기 전에',나 'AVst(으)ㄴ 후에'를 써서 두 문장을 연결하십시오.

   1) 음식을 먹습니다 / 손을 씻습니다

   2) 결혼합니다 / 결혼한 사람을 부러워합니다

      결혼합니다 / 혼자 사는 사람을 부러워합니다

   3) 대답합니다 / 두 번 생각하십시오

   4) 약속합니다 / 꼭 지키십시오

2. 다음 질문에 대답하십시오.

   1) 가 : 아침에 일어나서 학교에 오기 전에 무엇을 합니까?

      나 : _____.

   2) 가 : 학교에 도착한 후에 제일 먼저 무엇을 합니까?

      나 : _____.

   3) 가 : 수업이 끝난 후에 무엇을 해요?

      나 : _____.

   4) 가 : 숙제한 후에 무엇을 해요?

      나 : _____.

   5) 가 : 자기 전에 무엇을 해요?

      나 : _____.

1. 다음 그림을 보고 문장을 완성하십시오.

1) 영수 씨가 미선 씨한테 _____.

미선 씨가 영수 씨한테서 _____.

2) 죤슨 씨가 영수_____.

영수 씨가 죤슨 씨_____.

3) 선생님이 학생들_____.

학생들이 선생님_____.

4) 어머님이 다나까 씨_____.

다나까 씨가 어머님_____.

5) 회사_____.

2. 다음 그림을 보고 'Vst고 있습니다'로 대답하십시오.

   지금 무엇을 하고 있습니까?

1) _____.

2) _____.

3) _____.

4) _____ .

5) _____ .

3. 다음 전화번호를 한글로 쓰고 읽어 보십시오.

┃보기┃

   화재신고 ☎ : 119 (일일구)

1) 전화번호 문의 ☎ : 114   (   )

2) 연세대학교 ☎ : 361-2114   (   )

3) 한국어학당 ☎ : 361-3468   (   )

4) 세브란스 병원 ☎ : 361-5114 (   )

5) 날씨 안내 ☎ : 131   (   )

6) 우리 집 ☎ :   (   )

7) 친구 집 ☎ :   (   )

8) 고속 버스 터미널 ☎ : 535-4151 (   )

9) 서울역 ☎ : 392-7788   (   )

1. 두 사람의 전화 대화입니다. ( )에 적당한 말을 고르십시오.

   1) 가 : ( ) 거기 연세대학교입니까?

      나 : 예, 그렇습니다.

      ① 여보세요,   누구세요?

      ③ 안녕하세요?   ④ 죄송합니다.

   2) 가 : 김 미선 씨 계십니까?

      나 : ( )

      가 : 392-0131번 아니에요?

      ① 아닙니다.   ② 전데요.

      ③ 몇 번에 거셨습니까?   ④ 몇 번입니까?

   3) 죤슨 : 여보세요, 영수 씨 계십니까?

      영수 : ( ) 누구십니까?

      ① 아닙니다.   ② 전데요.

      ③ 여보세요,   ④ 미안합니다.

   4) 가 : 여보세요, 연희동입니다. ( )

      나 : 죄송하지만 김영미 씨 좀 바꿔 주세요.

      ① 누구를 찾으십니까?   ② 어디에 계셨습니까?

      ③ 누구십니까?   ④ 안녕하세요?

2. ( )에 공통된 단어를 쓰십시오.

┤보기├

김영수 씨 좀 (**바꿔**) 주세요.

어제 산 구두가 커서 다른 것으로 (**바꾸고**) 싶습니다.

1) 여기가 (   ) 연세대학교입니다.

　　지금 (   ) 오십시오.

2) 한국말을 모르니까 (   ) 말해 주세요.

　　빨리 가면 위험하니까 (   ) 갑시다.

3) 저는 (   )면 음악을 듣습니다.

　　요즘 회사 일이 많아서 (   )지 않습니다.

4) 약속을 꼭 (   )십시오.

　　저는 시간을 안 (   )는 사람을 싫어합니다.

3. **두 문장을 한 문장으로 연결하십시오.**

1) 미국에 돌아갑니다 / 꼭 편지하십시오.

2) 제가 서울 시내를 잘 압니다 / 안내할 수 있습니다.

3) 처음 한국에 왔습니다 / "안녕하세요"도 몰랐습니다.

4) 대학교를 졸업했습니다 / 3년 동안 회사에서 일했습니다.

5) 방학이 됩니다 / 여행을 하겠습니다.

6) 날씨가 좋습니다 / 소풍을 갈까요?

4. **문장을 완성하십시오.**

1) _____(으)ㄹ 때 음악을 듣습니다.

2) 다음 주에 시험이 있으니까 _____.

3) 내일은 급한 일이 생겨서 _____.

4) _____(으)려고 _____에 갑니다.

5) _____고 있습니다.

말하기 연습(제 8 과)

1. 친구와 전화로 약속을 하십시오.

가 : 여보세요? 실례지만 _____ 씨 계십니까?

나 : 바로 전데요. _____ ?

가 : _____

나 : _____

가 : 내일 시간이 있으면 _____ 에 갈까요?

나 : _____

가 : _____

나 : _____

가 : _____

나 : _____

가 : 그럽시다. 그럼 _____ 에 만나요.

2. 전화를 잘못 걸었습니다. 어떻게 할까요?

가 : 여보세요, 거기 중국 음식점이에요?

나 : 예? 잘 안 들려요. 크게 말씀해 주세요.

가 : _____

나 : 몇 번에 거셨습니까?

가 : _____

나 : 아닙니다. _____

가 : 미안합니다.

3. 친구에게 전화했습니다. 친구가 없습니다. 어떻게 하지요?

가 : _____입니다.

나 : 죄송하지만 _____ 씨 좀 바꿔 주세요.

가 : 지금 집에 없는데요.

나 : _____

가 : _____

나 : _____

가 : _____

나 : 그럼 그때 다시 걸겠습니다. 안녕히 계십시오.

4. 고향에 있는 가족한테 전화를 했지만 지금 집에 아무도 없습니다. 자동응답기에 메시지를 남기십시오.

가 : 여기는 _____입니다.
지금은 전화를 받을 수 없습니다. 신호음이 들리면 메모를 남겨 주십시오. 돌아와서 꼭 연락 드리겠습니다. 감사합니다.

나 : _____

_____

_____

♣ 무슨 말을 들었을까요?

다음 그림을 보고 대화를 만들어 쓰십시오.

(여러분이 만드십시오)

1. ( )를 채우십시오.

> -(으)로,   -을/를,   -에,   -에서,   -에게서/한테서,
>
> -에게,   -쯤,   -까지,   -께

1) 영어(   ) 설명할까요? 한국말(   ) 설명할까요?

2) 학교 근처 (   ) 서점이 많아요.

3) 어제 읽기책(   ) 어디(   ) 읽었어요?

4) 모르면 저(   ) 질문하세요.

5) 육교(   ) 길(   ) 건너십시오.

6) 선생님(   ) 연락을 했어요.

7) 애인(   ) 주말마다 전화가 옵니다.

8) 어느 쪽(   ) 가십니까?

9) 비행기(   ) 제주도(   ) 가겠습니다.

10) 읽기책 10쪽(   ) 12쪽(   ) 공부하십시오.

11) 우리 반(   ) 누가 제일 키가 큽니까?

12) 하숙집(   ) 학교(   ) 걸어서 20분(   ) 걸립니다.

2. 문장을 연결하십시오.

> -지만, -어(아, 여)서, -(으)ㄹ 때, -기 때문에, -(으)려고,
>
> -(으)ㄴ/는/었(았, 였)는데, -고, -(으)면,   -(으)니까

┨보기┠

버스를 탑니다 / 갑니다. → 버스를 타고 갑니다.

1) 매운 음식을 싫어합니다 / 김치는 먹습니다. →

2) 내일 시험이 있습니다 / 공부하십시오. →

3) 앉습니다 / 말씀하십시오. →

4) 뭘 합니다 / 돈을 많이 찾았어요? →

5) 늦었습니다 / 미안합니다. →

6) 내일 학교에 옵니다 / 숙제 공책을 가지고 오세요. →

7) 지금 돈이 없습니다 / 어떻게 하죠? →

8) 지난 주에 배웠습니다 / 모르겠어요. →

9) 오늘 아침에 학교에 옵니다 / 비가 왔습니다. →

10) 동생에게 줍니다 / 사전을 샀습니다. →

11) 어려운 일이 있습니다 / 연락하세요. →

12) 시험이 끝납니다 / 뭘 하실 거예요? →

3. 대화를 만드십시오.

1) 가 : 창문을 닫을까요?

　　나 : 아니오, _____(으)니까 _____.

2) 가 : 숙제를 하고 잤습니까?

　　나 : _____지 않고 _____.

3) 가 : 어제 왜 약속을 지키지 않았습니까?

　　나 : _____어(아, 여)서 _____.

4) 가 : 그 분이 열심히 일하지요?

　　나 : _____군요.

5) 가 : 방학 때는 무엇을 하시겠어요?

　　나 : _____도 _____고 _____도 _____.

6) 가 : 내일 비가 올까요?

　　나 : _____(으)니까 _____.

7) 가 : _____.

　　나 : 참 좋은데요.

8) 가 : 지금 올 수 있어요?

　　나 : _____고 있어서 _____.

9) 가 : 왜 우체국에 가십니까?

　　나 : _____(으)려고 _____.

10) 가 : 이 일을 혼자 할 수 있겠어요?

　　나 : _____어(아, 여)서 _____(으)ㄹ 것 같아요.

4. ( ) 안을 알맞게 고치십시오.

┤보기├
(알다) 사람이 있어요? → 아는 사람이 있어요?

1) 어제 누가 노래를 (부르다) _____었(았, 였)어요?

2) 서울역 근처에서 (세우다) _____어(아, 여) 주십시오.

3) 테니스가 (쉽다) _____어(아, 여)서 빨리 배웠습니다.

4) 짐이 (무겁다)_____(으)ㄴ/는데 좀 (돕다)
　　_____어(아, 여) 주시겠습니까?

5) 어제 좋은 음악을 (듣다) _____었(았, 였)습니다.

6) 어제 (외우다) _____(으)ㄴ 단어를 잊어 버렸습니다.

7) 날씨가 따뜻하니까 밖에서 (놀다) _____(으)ㅂ시다.

8) 처음 한국에 (오다) _____(으)ㄹ 때 봄이었습니다.

5. 대화를 완성하십시오.

— 전화 (1) —

존슨 :　　　여보세요, 거기 한국어학당이지요?

이 선생님 : 예, 그런데요.

존슨 :　　　박 선생님 좀 _____.

이 선생님 : 지금 안 계신데요.

존슨 :　　　_____.

— 전화 (2) —

다나까 :　　여보세요, 김 선생님 좀 _____.

김 선생님 : 바로 _____. 누구세요?

다나까 :　　선생님, 다나까예요.

　　　　　　내일 일본에서 부모님이 오셔서 _____.

김 선생님 : 아, 그래요? 할 수 없군요.

다나까 :　　죄송합니다. 그럼 모레 _____.

　　　　　　안녕히 계십시오.

- 택시 안에서 -

운전기사 : 어디로 갈까요?

손님 :　　_____.

운전기사 : _____(으)로 들어갑니까?

손님 :　　아니오, _____.

　　　　　_____?

운전기사 : 보통 30분쯤 걸립니다.

　　　　　여기가 _____입니다.

손님 :　　_____?

운전기사 : 2000원입니다.

손님 :　　_____.

운전기사 : 안녕히 가십시오.

단어맞추기(2)

1			8		10		11. 12		13
2	3		9						
	4	5					14	15	
		6						16	
7									
			17. 18		19			29	30
		20. 21							
					27	28			
	22		23					31. 32	33
			24	25				34	
			26						

♠ 가로

2. 친구가 노래를 했습니다.
   우리가 _____를 칩니다.
4. 여기, 거기, _____.
6. 매일 집에서 이것을 합니다.
7. 여행하는 것을 도와주는 회사.
9. 여자들이 머리를 자르는 곳.
11. 나무 이름입니다.
    항상 초록색입니다.
14. 책을 파는 가게입니다.
16. 공부하는 곳.
17. 서로 아주 좋아합니다.
20. 자동차를 _____ 하다.
22. 여러 가지 물건을 파는 곳.
24. 병원에서 제일 높은 사람입니다.
26. 여러 나라 사람이 사는 곳입니다.
27. 부인입니다.
29. 아주, 참과 비슷한 말.
31. 사과, 배, 수박, 포도.
34. 여러 번.

♠ 세로

1. 여름에 많이 먹는 크고 초록색인 과일
3. 숟가락과 젓가락을 한 단어로 하면?
5. 수업이 끝나면 여기에 갑니다. 잡니다.
8. 시간이 있을 때 자주 하는 행동.
10. 몸이 아플 때 갑니다.
12. 재미있는 이야기 책. 조금 긴 책입니다.
    시는 아닙니다.
13. 이름이 _____ 입니까?
15. _____ 때 여행할 계획이 있습니다.
18. 단어를 모르면 이것을 찾습니다.
19. 우리 집이 아닙니다.
    아주머니가 밥을 해 줍니다.
21. 운동할 때 신는 가벼운 신.
23. 가게에서 일하는 사람.
25. 사랑하는 사람에게서 받고 싶은 꽃입니다.
28. 회사원이 일하는 방.
30. 편지에 붙입니다.
32. 아이가 먹습니다. 좋아합니다.
33. 월요일부터 일요일까지

1. 다음 그림을 보고 대화를 완성하십시오.

1) 가 : 어디에 가요?

　　나 : 학교에 가요.

　　가 : 왜 학교에 가요?

　　나 : ＿＿＿＿＿＿＿＿＿(으)러 학교에 가요.

2) 가 : 어디에 가요?

　　나 : ＿＿＿＿＿＿＿＿＿＿＿＿에 가요.

　　가 : 왜＿＿＿＿＿＿＿＿＿＿＿？

　　나 : ＿＿＿＿＿(으)러 ＿＿＿＿＿.

131

3) 가 : 어디에 가요?

　　나 : ＿＿＿＿＿＿＿＿＿＿＿.

　　가 : 왜＿＿＿＿＿＿＿＿＿＿＿？

　　나 : ＿＿＿＿(으)러 ＿＿＿＿에 가요.

4) 가 : 어디에 가요?

　　나 : ＿＿＿＿＿＿＿＿＿＿＿.

　　가 : 왜＿＿＿＿＿＿＿＿＿＿＿？

　　나 : ＿＿＿＿＿(으)러 ＿＿＿＿.

5) 가 : 어디에 가요?

　　나 : ＿＿＿＿＿＿＿＿＿＿＿.

　　가 : 왜＿＿＿＿＿＿＿＿＿＿＿？

　　나 : ＿＿＿＿＿(으)러 ＿＿＿＿.

2. 다음 질문에 대답하십시오.

1) 가 : 비가 자주 오는군요.

　나 : _____(이)니까요.

2) 가 : 백화점에 사람들이 많군요.

　나 : _____(으)니까요.

3) 가 : _____.

　나 : _____.

3. 다음 질문에 대답하십시오.

1) 가 : 북한산에 가 봤습니까?

　나 : _____.

2) 가 : 한국말로 일기를 써 봤어요?

　나 : _____.

3) 가 : 한국에 오기 전에 한국음식을 먹어 봤습니까?

　나 : _____.

4) 가 : 혼자 여행을 해 봤어요?

　나 : _____.

5) 가 : 설악산에 가서 단풍을 구경해 보세요.

　나 : 예, _____.

1. 'Vst어/아/여지다'를 써서 보기와 같이 문장을 바꾸십시오.

┤보기├

가 : 사람이 많습니다.

나 : 사람이 **많아집니다.**

1) 머리가 복잡합니다.   _____.

2) 날씨가 춥습니다.   _____.

3) 하늘이 어둡습니다.   _____.

4) 얼굴이 빨갛습니다.   _____.

2. 다음 문장을 완성하십시오.

┤보기├

운동을 하면 **건강해집니다.**

1) 1시가 되면 배가 _____.

2) 음악을 들으면 기분이 _____.

3) 담배를 피우면 _____.

4) 청소를 하지 않으면 _____.

5) 가 : 미선 씨가 예뻐졌지요?

　　나 : 예, 사랑을 하니까 _____.

6) 가 : 비가 오니까 기분이 어떻습니까?

　　나 : 비가 오니까 _____.

3. 다음 그림을 보고 'Vst었/았/였으면 합니다'로 문장을 만드십시오.

┨보기┠

요리사가 **됐으면** 합니다.

1) _____ .

2) _____ .

3) _____ .

4) _____ .

1. 다음 보기와 같이 문장을 완성하십시오.

┤보기├

냉면 / 비빔밥을 먹읍시다.

냉면**이나** 비빔밥을 먹읍시다.

1) 부산 / 광주에 갑시다.

2) 영화 / 연극을 봅시다.

3) 언니 / 오빠에게 묻습니다.

2. 다음 보기와 같이 대화를 만드십시오.

┤보기├

가 : 뭘 마실까요?

나 : **더운데** 맥주**나** 한잔합시다.

1) 가 : 뭘 할까요?

　　나 : 주말인데 _____.

2) 가 : 어디에 갈까요?

　　나 : _____.

3. 다음 글을 읽고 대답하십시오.

영수 씨는 이번 토요일에 수영장에 가고 싶었습니다. 그래서 수영 모자를 사러 백화점에 갔습니다. 거기에서 친구를 만났습니다. 친구도 같이 가고 싶어했습니다. 두 사람은 이번 토요일 오후 3시에 만나겠습니다. 두 사람은 시합을 해서 지는 사람이 맥주를 사겠습니다. 영수 씨는 내일 아침부터 연습을 하겠습니다.

1) 영수 씨는 토요일에 무엇을 하기로 했습니까?

2) 친구를 언제 만나기로 했습니까?

3) 시합 후에 무엇을 하기로 했습니까?

4) 영수 씨는 내일부터 무엇을 하기로 했습니까?

4. 다음 보기의 단어로 이야기를 만드십시오.

┤보기├

| 휴일, | 벌써, | 만원, | 자리, | 비다, |

-(으)러 가다,　　　　-(이)나,　　　　-어(아, 여) 보다,

-었(았, 였)으면 하다

_____

_____

_____

_____

_____

_____

_____

_____

1. 다음 보기와 같이 문장을 만드십시오.

┤보기├
쉬는 **동안 화장실에 다녀옵니다.**

1) 농구시합을 구경하는 동안 _____.

2) 전화를 받는 동안 _____.

3) 식사를 하는 동안 _____.

4) _____.

5) _____.

2. 다음 보기와 같이 문장을 만드십시오.

┤보기├
우산을 샀습니다. **그런데 비가 그쳤습니다.**

1) 교실에 들어갔습니다. 그런데 _____.

2) 소풍을 가려고 했습니다. 그런데 _____.

3) 내일 데이트가 있습니다. 그런데 _____.

4) 수박을 샀어요. _____.

5) _____.

1. 보기에서 알맞은 것을 골라 ( ) 속에 고쳐서 쓰십시오.

┃보기┃

> N(이)나,   오래간만에,   -마다,
>
> -(으)니까,   -때(에),   -는 동안,
>
> -(으)려고 하다,   -어(아, 여)지다,
>
> -(으)ㄹ 때,   -(으)ㄴ 후에

점심 (   ) 영수 씨는 (   ) 중국음식을 먹으러 갔습니다. 음식점에 (가다 :   ) 신문을 샀습니다. 자장면을 시키고 음식을 (기다리다 :   ) 신문을 봤습니다. 자리(   ) 데이트하는 남녀들이 앉아서 맛있게 음식을 먹고 있었습니다. 영수 씨는 여자친구가 (없다 :   ) 그 사람들이 부러웠습니다. 기분이 (우울하다 :   ). 점심을 (먹다 :   ) 친구에게 전화하겠습니다. 친구를 만나서 (영화 :   ) (보다 :   ). 그러면 기분이 (좋다 :   ) 것 같습니다.

말하기 연습(제 9 과)

영화를 좋아하세요? 무슨 영화가 좋아요? 한국에서 영화를 봤어요? 어느 극장에 가 봤어요? 얼마나 자주 영화를 봐요?			
지금까지 본 영화 중에서 어느 영화가 제일 좋았어요? 왜 그 영화가 좋았어요?			
내일 한가한데 같이 영화나 보러 갈까요? 언제 어디에서 만나기로 할까요?			
5년 후에 어디에서 살았으면 해요?			
무엇이/어떤 사람이 됐으면 좋겠어요?			
무엇을 잘 했으면 좋겠어요?			
어떻게 변했어요? (날씨, 나라, 친구...)			

1. 다음 대화를 완성하십시오.

1) 가 : 이 영화가 어떻습니까? (아주)

나 : _____.

2) 가 : 김치 맛이 어떻습니까? (너무)

나 : _____.

3) 가 : 저 선생님께서 잘 가르치십니까? (대단히)

나 : 예, _____.

4) 가 : 동생이 탁구를 잘 칩니까? (아주)

나 : 예, _____.

5) 가 : 내일 날씨가 어떨까요? (아마)

나 : _____.

2. 밑줄 친 부분을 고치십시오.

1) 이 집은 아마 <u>넓어요</u>.

2) 박 세리는 골프를 <u>참</u> 쳐요.

3) 어제는 <u>잘</u> 추웠어요.

4) 동생이 말을 <u>아주</u> 들어요.

3. 틀린 것을 고치십시오.

1) 여기에서 산이 봅니다.

2) 축구 경기를 보려고 사람들이 많이 모웁니다.

3) 밖에서 이상한 소리가 듣는군요.

2

1. **다음 보기에서 제일 적당한 말을 고르십시오.**

1) 제 친구 집은 (　　　　) 커요.

① 제일　　　　② 잘　　　　③ 아마　　　　④ 참

2) 동생이 피아노를 (　　　　) 치는군요.

① 참　　　　② 너무　　　　③ 잘　　　　④ 아마

3) 서울은 한국에서 사람이 (　　　　) 많은 도시입니다.

① 잘　　　　② 제일　　　　③ 빨리　　　　④ 아마

4) 어제는 바람이 (　　　　) 불었습니다.

① 일찍　　　　② 몹시　　　　③ 잘　　　　④ 항상

5) 기차는 (　　　　) 5분 후에 떠날 거예요.

① 굉장히　　　　② 참　　　　③ 아마　　　　④ 빨리

6) 우리 어머니는 요리를 (　　　　) 잘 하십니다.

① 아주　　　　② 편히　　　　③ 아마　　　　④ 일찍

7) 김치가 (　　　　) 매워서 먹을 수가 없어요.

① 제일　　　　② 아마　　　　③ 너무　　　　④ 잘

8) 서울 역에 사람들이 (　　　　) 많습니다.

① 급히　　　　② 굉장히　　　　③ 아마　　　　④ 제일

1. 다음 보기와 같이 대화를 완성하십시오.

┤보기├

가 : 김 선생님께 이 일을 부탁할까요?

나 : 우리가 먼저 해 **보고요.**

1) 가 : 한잔하러 갈까요?

　나 : _____.

2) 가 : 텔레비전을 봅시다.

　나 : _____.

3) 가 : 빨리 나오세요.

　나 : _____.

2. 다음 보기와 같이 대화를 완성하십시오.

┤보기├

가 : 이 근처에서 **제일** 가까운 공중전화는 어디에 있어요?

나 : 이 근처에서 **제일** 가까운 공중전화는 저 다방 안에 있어요.

1) 가 : 우리 반에서 제일 발이 큰 사람은 누구예요?

　나 : _____.

2) 가 : 일본에서 제일 높은 산은 어느 산이에요?

　나 : _____.

3) 가 : 선생님이 제일 좋아하는 학생은 어떤 학생이에요?

　나 : _____.

3. 다음 보기와 같이 대화를 완성하십시오.

┤보기├

가 : **언제** 고향에 돌아가십니까?

나 : **내년에** 돌아갑니다.

1) 가 : _____ ?

　 나 : 아마 한 대에 천만 원일 거예요.

2) 가 : _____ ?

　 나 : 제 어머니가 김밥을 제일 잘 만드십니다.

3) 가 : _____ ?

　 나 : 홍콩으로 갑시다.

4) 가 : _____ ?

　 나 : 점심엔 칼국수가 어때요?

4. 다음 보기와 같이 대화를 완성하십시오.

┤보기├

가 : 선생님이 안 계시는군요.

나 : 예, **어디** 가셨어요.

1) 가 : 제가 서울에서 유명한 식당을 압니다.

　 나 : 그래요? _____ 시간이 있으면 같이 갑시다.

2) 가 : 가게에 가세요?

　 나 : 예, _____ 좀 사러 가요.

3) 가 : 오후에 약속이 있어요?

　 나 : 예, _____ 좀 만나려고 해요.

4) 가 : 그 구두 비싸지요?

　 나 : 아니오, _____ 안 해요.

1. 다음 대화를 존댓말을 사용해서 고치십시오.

┤보기├

김 선생님이 학교에 있어요.

→ 김 선생님**께서** 학교에 **계세요.**

1) 나는 어제 오빠와 함께 할아버지 집에 갔습니다.

→ _____ .

2) 할아버지는 자고 있었습니다.

→ _____ .

3) 우리는 삼촌과 숙모한테 인사를 했습니다.

→ _____ .

4) 삼촌에게 어머니가 준 선물을 주었습니다.

→ _____ .

5) 할아버지가 한국 옛날 이야기를 해 주었습니다.

→ _____ .

6) 할아버지 나이가 몇 살입니까?

→ _____ ?

7) 할아버지가 많이 늙은 것 같습니다. 나는 조금 슬펐어요.

→ _____ .

8) 할아버지, 건강해요. 내가 기도하겠어요.

→ _____ .

9) 미국에 가면 전화를 하겠어요.

→ _____ .

말하기 연습(제 10 과)

여행을 좋아하세요? 여행의 좋은 점과 나쁜 점은 무엇입니까?			
시간이 있으면 외국에 여행을 가고 싶어요. 좋은 곳을 소개해 주세요.			
＿＿ 씨는 이번 주말에 어디 가려고 해요? 예 : 어디에 가려고 해요? 왜 거기에 가려고 해요? 아니오 : 이번 주말에 뭐 바쁜 일이 있어요?			
지금까지 여행한 곳 중에서 어디가 제일 좋았어요? 그 때 무엇으로 갔어요? 얼마 동안 여행을 했어요? 누구와 같이 갔어요?			
언제까지 한국에 계시겠어요? 한국에 있는 동안 뭘 해 보고 싶으세요?			

정답

한글 연습(▷ 1~11쪽)

제 1 과(▷ 12쪽)

1

1. 쓰기 연습

2.

	Vst ㅂ니다	Vst ㅂ니까?
가르치다	가르칩니다	가르칩니까?
기다리다	기다립니다	기다립니까?
보다	봅니다	봅니까?
배우다	배웁니다	배웁니까?
사다	삽니다	삽니까?
쉬다	쉽니다	쉽니까?
쓰다	씁니다	씁니까?
오다	옵니다	옵니까?
외우다	외웁니다	외웁니까?
자다	잡니다	잡니까?
주다	줍니다	줍니까?
타다	탑니다	탑니까?
하다	합니다	합니까?
	Vst습니다	Vst습니까?
먹다	먹습니다	먹습니까?
읽다	읽습니다	읽습니까?
입다	입습니다	입습니까?
있다	있습니다	있습니까?
찾다	찾습니다	찾습니까?

2

1. 쓰기 연습

2.

1)미국 사람입니다. 2)일본 사람입니다.
3)사전입니다. 4)아이스크림입니다. 5)친
구입니다. 6)연세대학교입니다.

3

3.

1)연필입니까? 2)공책입니까? 3)중국 사
람입니까? 4)영국 사람입니까? 5)학생입
니까? 6)우유입니까? 7)숙제입니까?

4.

1)예, 남자입니다. 2)아니오, 의사가 아닙
니다. 의자입니다. 3)예, 교과서입니다.
4)아니오, 가방이 아닙니다. 사과입니다.

5.

1)책상입니까? 2)문입니까? 3)창문입니
까? 4)의자입니까? 5)잡지입니까? 6)사전
입니까? 7)학생입니까? 8)선생님입니까?

6.

1)강민수입니다. 2)박현주입니다. 3)김영
철입니다. 4)이종환입니다. 5)____입니다.

3

1. 쓰기 연습

2.

1)이 2)이 3)가

3.

1)이 2)가 3)가 4)이

4.

1)의자가 있습니다. 2)시간이 없습니다.
3)학생이 있습니다. 4)아버지가 계십니다.
5)미국 사람이 없습니다. 6)할머니가 안
계십니다.

5.

1)예, 공책이 있습니다. 2)아니오, 동생이
없습니다. 3)예, 한국 사람입니다. 4)아니
오, 미국 사람이 아닙니다. 5)예, 부모님
이 계십니다.

6.

1)한국 사람입니까? 2)질문이 있습니까?
3)부모님이 계십니까? 4)학생입니까? 5)
공책입니까? 6)예, 시간이 있습니다. 7)아
니오, 연필이 아닙니다. 8)생략

7. (입니다), (입니다), (있습니다), (입니다),
(입니다), (있습니다), (있습니다), (있습
니다), (입니다), (입니다), (입니다)

4

1. 쓰기 연습

2.
1)예, 그것이 칠판입니다. 2)예, 이것이 달력입니다. 3)아니오, 그것이 문이 아닙니다. 창문입니다. 4)아니오, 저것이 필통이 아닙니다. 지갑입니다.

3.
1)그것이 연필입니다. 2)이것이 모자입니다. 3)저것이 우산입니다. 4)이것이 책상입니다. 5)생략 6)생략

5
1. 쓰기 연습

2.
1)일본에서 왔습니다. 2)중국에서 왔습니다. 3)미국에서 왔습니다. 4)호주에서 왔습니다. 5)영국에서 왔습니다.

3.

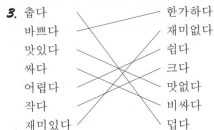

춥다 — 한가하다
바쁘다 — 재미없다
맛있다 — 쉽다
싸다 — 크다
어렵다 — 맛없다
작다 — 비싸다
재미있다 — 덥다

4.
1)비쌉니다, 쌉니다 2)바쁩니다, 한가합니다, 3)춥습니다, 덥습니다 4)(키가) 작습니다, (키가) 큽니다

5.
1)야구 2)탁구 3)농구 4)테니스 5)스키 6)축구 7)수영 8)배구 9)골프
말하기 연습 : 생략

제2과(▷31쪽)

1
1.
1)아래 2)뒤 3)앞 4)옆

2
1.

	Vst십니다	Vst십니까?	Vst십시오	Vstㅂ시다
가다	가십니다	가십니까?	가십시오	갑시다
오다	오십니다	오십니까?	오십시오	옵시다
쉬다	쉬십니다	쉬십니까?	쉬십시오	쉽시다
보다	보십니다	보십니까?	보십시오	봅시다

	Vst십니다	Vst십니까?	Vst십시오	Vstㅂ시다
사다	사십니다	사십니까?	사십시오	삽시다
기다리다	기다리십니다	기다리십니까?	기다리십시오	기다립시다
가르치다	가르치십니다	가르치십니까?	가르치십시오	가르칩시다
배우다	배우십니다	배우십니까?	배우십시오	배웁시다
타다	타십니다	타십니까?	타십시오	탑시다
일하다	일하십니다	일하십니까?	일하십시오	일합시다

	Vst으십니다	Vst으십니까?	Vst으십시오	Vst읍시다
앉다	앉으십니다	앉으십니까?	앉으십시오	앉읍시다
읽다	읽으십니다	읽으십니까?	읽으십시오	읽읍시다
찾다	찾으십니다	찾으십니까?	찾으십시오	찾읍시다

	Vst(으)십니다	Vst(으)십니까?	Vst(으)십시오	Vstㅂ/읍시다
먹다	잡수십니다	잡수십니까?	잡수십시오	먹읍시다
있다	계십니다	계십니까?	계십시오	있읍시다
자다	주무십니다	주무십니까?	주무십시오	잡시다
말하다	말씀하십니다	말씀하십니까?	말씀하십시오	말합시다

2.
1)나 : 김치찌개가 맵습니다. 2)가 : 지하철이 어떻습니까? 나 : 지하철이 빠릅니다. 3)나 : 한국 신문 읽기가 어렵습니다. 4)가 : 한국말 듣기가 어떻습니까? 나 : 한국말 듣기가 쉽습니다.

3. (입니다), (이십니다), (계십니다), (입니다), (입니다), (주무십니다), (배웁니다), (재미있습니다), (가르치십니다), (재미있으십니다), (바쁘십니다), (피곤하십니다)

③

1.
1)을 탑니다 2)를 읽습니다 3)을 합니다
4)을 찾습니다 5)를 씁니다

2.
1)나 : 영수 씨를 기다립니다. 2)가 : 무엇
을 찾습니까? 나 : 가방을 찾습니다. 3)
가 : 어디에서 먹고 싶습니까? 나 : 학교 식
당에서 먹고 싶습니다. 4)가 : 무엇을 가르
칩니까?

3. (을), (이), (을), (이), (을), (가),
(가), (를), (가)

4.
1)예, 저도 갑니다. 2)예, 과일도 먹습니
다. 3)예, 탁구도 칩니다.

④

1.
1)우유하고 빵이 있습니다. 2)밥하고 불고
기를 먹습니다. 3)신문하고 잡지를 삽니
다.

2.
1)의자는 없습니다. 2)죤슨 씨는 바쁩니
다. 3)신발은 적습니다.

⑤

1.
1)나 : 학교에 갑니다. 2)가 : 누가 시장에
가십니까? 3)생략

2.
1)가 : 저녁마다 무엇을 하십니까? 나 : 저
녁마다 숙제를 합니다. 2)가 : 토요일마다
누구를 만납니까? 나 : 토요일마다 친구를
만납니다. 3)나 : 주말마다 텔레비전을 봅
니다.

종합

1.
1)가 2)이, 도 3)가 4)가/는, 는 5)를 6)
는, 를 7)를, 도 8)에 9)께서/이, 에 10)
에 11)과, 이, 에 12)는, 에서 13)에는,
에는 14)은, 이

2.
1)은행이 집 근처에 있습니다. 2)마이클
씨가 한국말을 공부합니다. 3)한국말 공부
하기가 재미있습니다. 4)제주도에 가고 싶
습니다. 5)음악을 듣고 싶어합니다.

3.
1)누가 죤슨 씨입니까? 2)누구를 만납니
까? 3)저 분이 누구입니까? 4)무엇이 컵
입니까? 5)가 : 무슨 책을 읽고 싶습니까?

나 : 소설책을 읽고 싶습니다. 6)병원이 어
디에 있습니까?

4.
1)①앞 ②옆 ③학교가, 앞 ④공원이 2)①
연세대학교 ②공원 ③병원

5.
1)방에 책상하고 의자하고 탁자하고 가방
하고 시계하고 잡지 등이 있습니다. 2)책
상 위에 공책하고 연필하고 책이 있습니
다. 3)책상 앞에 의자가 있습니다. 4)시계
는 벽에 있습니다. 5)담배는 탁자 위에 있
습니다.

6. 생략

7. 자기 소개 예문 :
〈미국 학생의 글〉
만나서 반갑습니다. 제 이름은 마이클입니
다. 저는 미국에서 왔습니다. 부모님하고
여동생은 미국에 있습니다. 저는 연세대학
교에서 한국말을 배웁니다. 한국말 배우기
가 재미있습니다. 날마다 도서관에 갑니
다. 한국 친구들도 많이 있습니다. 주말에
는 수업이 없습니다. 친구들을 만납니다.
친구들하고 이야기를 합니다. 영화도 봅니
다. 저는 영화 보기를 아주 좋아합니다.
한국 생활이 재미있습니다.
〈일본 학생의 글〉
제 이름은 다마오끼 유우입니다. 저는 일
본의 오카야마에서 왔습니다. 우리 가족은
5명입니다. 아버지하고 어머니하고 형하고
남동생이 있습니다. 우리 부모님과 형제는
모두 일본에 있습니다. 아버님은 회사원이
십니다. 남동생도 회사원입니다. 형은 대
학생입니다. 저는 지금 한국에서 한국말을
공부하고 있습니다. 한국말 공부하기가 어
렵습니다. 제 취미는 낚시입니다. 낚시는
아주 재미있습니다.
말하기 연습 : 생략

제 3 과(▷ 44쪽)

①

1.
1)께서 2)은, 는 3)에는, 에는 4)는

2.
1)가 : 몇 살입니까? 나 : 마흔두 살입니다.
2)가 : 공책이 몇 권입니까? 나 : 세 권입니
다. 3)가 : 가족이 몇 명입니까? 나 : 네 명
입니다. 4)가 : 자동차가 몇 대입니까?
나 : 한 대입니다. 5)가 : 가방이 몇 개입니
까? 나 : 두 개입니다

3.

1) 가 : 무슨 운동을 좋아합니까? 나 : 야구/스키/농구를 좋아합니다. 2) 가 : 무슨 색을 좋아합니까? 나 : 빨간 색/파란 색/하얀 색을 좋아합니다. 3) [홍차/커피/녹차] 가 : 무슨 차를 좋아합니까? 나 : 녹차를 좋아합니다. 4) [맥주/소주/막걸리] 가 : 무슨 술을 좋아합니까? 나 : 맥주를 좋아합니다. 5) 생략

②

1. 봄 : 딸기, 진달래, 따뜻하다, 개나리
여름 : 덥다, 땀이 나다, 수박, 장마
가을 : 단풍, 감, 선선하다, 추석
겨울 : 춥다, 눈, 크리스마스, 스케이트

2.
1) 꽃이 참 예쁘지요? 2) 그 분이 친절하지요? 3) 갈비를 좋아하지요?

③

1.

동사	Vstㅂ/습니다	Vst겠습니다	Vst었(았, 였)습니다
가다	갑니다	가겠습니다	갔습니다
타다	탑니다	타겠습니다	탔습니다
받다	받습니다	받겠습니다	받았습니다
앉다	앉습니다	앉겠습니다	앉았습니다
보다	봅니다	보겠습니다	봤습니다 (보았습니다)
먹다	먹습니다	먹겠습니다	먹었습니다
있다	있습니다	있겠습니다	있었습니다
읽다	읽습니다	읽겠습니다	읽었습니다
배우다	배웁니다	배우겠습니다	배웠습니다
주다	줍니다	주겠습니다	줬습니다 (주었습니다)
쓰다	씁니다	쓰겠습니다	썼습니다
쉬다	쉽니다	쉬겠습니다	쉬었습니다
마시다	마십니다	마시겠습니다	마셨습니다

동사	Vstㅂ/습니다	Vst겠습니다	Vst었(았, 였)습니다
가르치다	가르칩니다	가르치겠습니다	가르쳤습니다
하다	합니다	하겠습니다	했습니다 (하였습니다)
공부하다	공부합니다	공부하겠습니다	공부했습니다 (공부하였습니다)

2.
1) 짭니다. 2) 십니다. 3) 가 : 고추장 맛이 어떻습니까? 나 : 맵습니다. 4) 가 : 꿀 맛이 어떻습니까? 나 : 답니다.

3.

	Vst는	Vstㅂ니다	Vst십시오	Vst십니다	Vstㅂ시다
만들다	만드는	만듭니다	만드십시오	만드십니다	만듭시다
살다	사는	삽니다	사십시오	사십니다	삽시다
걸다	거는	겁니다	거십시오	거십니다	겁시다
팔다	파는	팝니다	파십시오	파십니다	팝시다

1) 저는 여의도에서 <u>삽니다</u>. 2) 한국말을 조금 <u>압니다</u>. 3) 음식을 <u>만드십시오</u>.

④

1.
1) 가 : 맥주를 시킬까요? 2) 가 : 가방을 살까요? 나 : 아니오, 가방을 사지 맙시다. 3) 가 : 어디에 갈까요? 나 : 도서관에 갑시다.

2. (예문 1)
오늘은 아침 8시에 일어났습니다. 세수를 했습니다. 8시 20분에 아침을 먹었습니다. 8시 40분에 버스를 탔습니다. 수업은 9시에 시작했습니다. 1시에 수업이 끝났습니다. 배가 많이 고팠습니다. 친구들하고 점심을 많이 먹었습니다. 11시에 잤습니다.
(예문 2)
어제는 토요일이었습니다. 토요일은 수업이 없습니다. 오후에 학교 친구들을 만났습니다. 친구들과 같이 동대문 시장에 갔습니다. 영수 씨와 마이클 씨도 갔습니다. 나는 가방을 샀습니다. 영수 씨는 바지를 샀습니다. 우리는 저녁을 먹었습니다. 한 식집에서 냉면하고 불고기를 먹었습니다.

음식 맛이 좋았습니다. 10시에 집에 왔습니다.

5

1.

	아 침	점 심	저 녁
(나) 경미	밥 김치찌개 두부조림	비빔밥	불고기 아이스크림

1)토스트하고 우유하고 사과를 먹었습니다. 2)영희 씨가 점심에 한식집에 갔습니다. 3)영수 씨가 중국 식당에 가겠습니다. 4)경미 씨는 점심을 어디에서 먹겠습니까? → 저는 한식집에서 먹겠습니다. /무슨 음식을 먹고 싶습니까? → 비빔밥을 먹고 싶습니다. 5)경미 씨는 저녁을 누구와 같이 먹고 싶습니까? → 미선 씨와 같이 먹고 싶습니다. /어디에서 먹고 싶습니까? → 저녁에도 한식집에서 먹고 싶습니다. /후식은 무엇을 먹고 싶습니까? → 아이스크림을 먹고 싶습니다.

2.

1)오전 8시에 학교에 갑니다. 2)오전 9시에 수업을 시작합니다. 3)날마다 4시간 공부합니다. 4)오후 1시에 점심을 먹습니다. 5)밤 11시에 잡니다. 6)오전 7시에 일어납니다. 7)8시간 잡니다.

3.

1)나는 오전 6시 30분에 일어났습니다. 2)9시까지 학교에 갔습니다. 3)3시에 연세다방에서 여자 친구를 만났습니다. 4)5시에 영화를 봤습니다. 재미있었습니다. 5)9시에 숙제를 했습니다. 숙제가 많았습니다. 6)11시에 일기를 썼습니다.

종합

1.

1)예, 그것이 책상입니다. 아니오, 그것이 책상이 아닙니다. 의자입니다. 2)예, 그분이 일본 사람입니다. 아니오, 그 분이 일본 사람이 아닙니다. 한국 사람입니다. 3)예, 오후에 약속이 있습니다. 아니오, 오후에 약속이 없습니다. 4)예, 부모님께서 미국에 계십니다. 아니오, 미국에 계시지 않습니다. (안 계십니다) 일본에 계십니다. 5)예, 날마다 학교에 옵니다. 아니오, 날마다 오지 않습니다(안 옵니다). 6)예, 운동을 좋아합니다. 아니오, 운동을 좋아하지 않습니다(안 좋아합니다). 7)예, 김치가 맵습니다. 아니오, 김치가 맵지 않습니다(안 맵습니다). 8)예, 한국에서 살기가 재미있습니다. 아니오, 한국에서 살기가 재미없습니다. 9)예, 김 선생님을 압니다. 아니오, 김 선생님을 모릅니다. 10)예, 친구를 만났습니다. 아니오, 친구를 만나지 않았습니다(안 만났습니다). 11)예, 영화를 봤습니다. 아니오, 영화를 보지 않았습니다(안 봤습니다). 12)예, 일본 식당에 가겠습니다. 아니오, 일본식당에 가지 않겠습니다(안 가겠습니다). 13)예, 떠나겠습니다. 아니오, 떠나지 않겠습니다(안 떠나겠습니다). 14)예, 1시에 만납시다. 아니오, 1시에 만나지 맙시다. 3시에 만납시다.

말하기 연습 : 생략

제 4 과 (☞ 58쪽)

1

1.

1)일 월 일 일입니다. 2)삼 월 삼십일 일에 인천에 갔습니다. 3)유 월 십육 일에 설악산에 가겠습니다. 4)천구백칠십육 년 시 월 이십구 일에 태어났습니다. 5)우리 교실은 사백육 호입니다. 6)교과서 십삼 쪽을 보십시오. 7)오늘은 제 오 과 이 항을 공부하겠습니다. 8)지금은 열두 시 삼십 분입니다. 9)여섯 시 사십오 분에 약속이 있습니다. 10)의자가 모두 여덟 개 있습니다. 11)우리 교실에 학생이 아홉 명 있습니다. 12)만 팔천오백 원입니다. 13)스물세 살입니다. 14)교실은 삼 층에 있습니다. 식당은 지하 일 층에 있습니다. 15)이백오 번 버스를 탑니다. 그리고 지하철 일 호선을 탑니다.

2.

1)(아홉) 시 2)(열) 명 3)(다섯) 분 4)(두) 권, (일곱) 자루 5)(여덟) 송이, (네) 송이 6)(여섯) 장 7)(한) 벌, (한) 켤레 8)(스무) 대 9)(열두) 병 10)(한) 근 11)(세) 잔[(석) 잔], (네) 잔[(넉) 잔] 12)(두) 갑

3.

1)팔천 원입니다. 2)육천 원입니다.

4.

1)맥주 한 병에 천 원입니다. 2)가 : 장미꽃 한 송이에 얼마입니까? 나 : 장미꽃 한 송이에 천 원입니다. 3)가 : 비누 한 개에 얼마입니까? 나 : 비누 한 개에 삼천 원입니다. 4)가 : 사전 두 권에 얼마입니까? 나 : 사전 두 권에 칠만 원입니다.

5.

1)여덟 시 오 분입니다. 2)열두 시 십오 분입니다. 3)열 시 삼십오 분입니다.

6.

1)삼만 육천팔백 원입니다. 2)십이만 칠천 원입니다. 3)백사십육만 오천 원입니다.

7.

1)오늘은 십이 월 십육 일입니다. 2)어제는 십이 월 십오 일이었습니다. 3)내일은 목요일입니다. 4)십이 월 이십오 일입니다. 5)토요일이었습니다.

②

1.

1)설명해 주십시오. 2)기다려 주십시오. 3)답장을 보내 주십시오. 4)찾아 주십시오. 5)사 주십시오.

2.

1)나 : 예, 전화하십시오. 2)가 : 문을 열까요? 나 : 아니오, 열지 마십시오. 3)나 : 예, 그 사전을 주십시오.

3. 예, 많이 아픕니다./예, 주스를 주십시오./아니오, 나가지 맙시다./아니오, 켜지 마십시오./아니오, 게임을 하지 맙시다./아니오, 이야기를 하지 맙시다./아니오, 이야기하지 마십시오.

④

1.

1)가 : 어느 나라에서 오셨습니까? 나 : 일본에서 왔습니다. 2)가 : 어느 시장에 갈까요? 나 : 남대문 시장에 갑시다. 3)가 : 어느 은행에 다닙니까? 나 : 국민 은행에 다닙니다.

2. (에서), (에), (에는), (에서), (에는), (에), (에), (에), (에), (에), (에), (에), (에서), (에), (에서), (에), (에), (에)

⑤

1.

1)아침에 세수를 하고 아침을 먹습니다. 2)남산은 명동에 있고 63빌딩은 여의도에 있습니다. 3)여름은 덥고 비가 많이 옵니다. 4)사과는 700원이고 배는 1000원입니다. 5)2시에 숙제를 끝내고 친구를 만났습니다. 6)머리를 감고 화장을 했습니다.

2.

1)친구와 같이 맥주 두 병을 마셨습니다. 2)친구를 소개해 주겠습니다. 3)날마다 숙제를 하고 잠을 잡니다. 4)일요일에는 박물관을 구경하고 싶습니다. 5)전화번호 좀 가르쳐 주십시오. 6)이번 방학에 영국에 가고 싶습니다. 7)사람마다 얼굴이 다릅니다. 8)5시에 숙제를 끝내고 친구와 같이 영화를 보겠습니다.

말하기 연습 : 생략

종합 : **1**과 ~ **4**과

1.

1)는, 이 2)마다, 에 3)에 4)에서, 과/하고, 를 5)에, 에서 6)에 7)을 8)에, 에는 9)가, 를 10)께서

2.

1)예, 만두를 먹겠습니다. 2)예, 공원에 갑시다. 3)예, 바쁩니다. 4)밤 11시에 잤습니다. 5)태권도를 좋아합니다. 6)수업이 끝나고 도서관에 갑니다. 7)공부하기가 어떻습니까? 8)지금 몇 시입니까? 9)영어를 가르치고 싶습니까? 10)부모님께서 어디에 계십니까? 11)오늘은 몇 월 며칠입니까?

3.

1)어제 미선 씨가 아팠습니다. 2)내일 설악산에 가겠습니다. 3)어제 국수를 먹었습니다. 4)다음 주에 잡지를 보겠습니다. 5)지난 달에 수영을 배웠습니다.

4.

1)아침을 먹고 학교에 갑니다. 2)물건이 싸고 좋습니다. 3)아버지는 신문을 보고 어머니는 텔레비전을 봅니다.

5.

1)문을 닫아 주십시오. 2)이 문제 좀 가르쳐 주십시오. 3)오후에 전화해 주십시오. 4)소설책을 읽어 주십시오. 5)문을 열어 주십시오. 6)도와 주십시오. 7)돈을 빌려 주십시오.

6.

1)천구백구십사 년 유 월 육 일 2)오전 열한 시 사십오 분입니다. 3)스물네 살입니다. 4)십사만육천팔백오십 원 5)팔십만 육천육백육십사 원

7.

1)(다섯) 개, (두) 개 2)(두) 마리 3)(네) 권, (여덟) 자루 4)(한) 분, (다섯) 명 5)(한) 벌, (세) 켤레 6)(두) 대, 7)(스무) 송이, (한) 병 8)(다섯) 병, (두) 마리

단어 맞추기(1)

1.생일 2.일기 3.기차 4.우리 5.우체국 6.회사 7.사전 8.전화 9.화장실 10.도서관 11.서양 12.책방 13.방학 14.근처 15.처음 16.음악 17.휴일 18.내일 19.바지 20.지도 21.약속 22.약방 23.노래방 24.의사 25.사무실 26.교실

1 crossword grid

¹생	²일			⁴,⁵우	체	국	
	³기	차	리		⁶회	⁷사	
¹⁰도			¹²책	¹³방		⁸전	⁹화
¹¹서	양	사	람	학			장
관						¹⁷휴	실
	¹⁴근	¹⁵처			¹⁸내	일	
	¹⁶음	악				²⁴의	²⁵사
¹⁹바	²⁰지				²¹,²²약	속	무
	도		²³노	래	방	²¹교	실

2.

동사	Vst습니다	Vst(으)니까	Vst었(았, 였)습니다
덥다	덥습니다	더우니까	더웠습니다
맵다	맵습니다	매우니까	매웠습니다
쉽다	쉽습니다	쉬우니까	쉬웠습니다
아름답다	아름답습니다	아름다우니까	아름다웠습니다
어렵다	어렵습니다	어려우니까	어려웠습니다
*입다	입습니다	입으니까	입었습니다
*잡다	잡습니다	잡으니까	잡았습니다

제 5 과(▷ 74쪽)

❶

1.

1) 집으로 갑니다. 2) 가 : 한국 사람은 무엇으로 먹습니까? 나 : 수저로 먹습니다. 3) 가 : 마사꼬 씨는 어느 나라 말로 이야기합니까? 나 : 일본말로 이야기합니다. 4) 가 : 공책에 무엇으로 씁니까? 나 : 연필로 씁니다. 5) 가 : 학교에 무엇으로 옵니까? 나 : 지하철로 옵니다.

❷

1.

1) 구두가 비싸지만 사고 싶습니다. 2) 지하철은 복잡하지만 빠릅니다. 3) 배가 부르지만 더 먹고 싶습니다.

2.

1) 힘들지만 재미있습니다. 2) 좀 맵지만 맛있습니다. 3) 예, 비싸지만 사고 싶습니다. 4) 비싸지만 좋습니다. 5) 생략

3.

1) 서울에서 제주도까지 비행기로 45분쯤 걸립니다. 2) 가 : 서울에서 강릉까지 몇 시간쯤 걸립니까? 나 : 서울에서 강릉까지 고속버스로 3시간 30분쯤 걸립니다. 3) 가 : 서울에서 경주까지 얼마나 걸립니까? 나 : 서울에서 경주까지 기차로 4시간쯤 걸립니다. 4) 잠실에서 신촌까지 지하철로 50분쯤 걸립니다. 5) 생략 6) 생략

❸

1.

1) 예, 방 안이 더우니까 여십시오. 2) 아니오, 비싸니까 사지 맙시다. 3) 아니오, 많이 있으니까 시키지 맙시다. 4) 예, 시간이 있으니까 영화를 봅시다. 5) 생략

❹

1.

1) 도서관에 가서 책을 빌리겠습니다. 2) 학생들이 의자에 앉아서 공부합니다. 3) 편지를 써서 부모님께 보냅니다. 4) 택시에서 내려서 육교로 건너십시오.

2.

1) 친구를 만나서 차를 마시겠습니다. 2) 꽃을 사서 애인에게 주고 싶습니다. 3) 가 : 차를 빌려서 어디에 가고 싶습니까? 나 : 차를 빌려서 부산에 가고 싶습니다. 4) 생략

❺

1.

1) 모아서 2) 돌아가서 3) 닦고 4) 씻고 5) 내려서 6) 쓰고 7) 타고 8) 보고 9) 빌려서 10) 일어나서

2.

동사	-ㅂ니다	-었(았, 였)습니다	-겠습니다	-어(아, 여)서
고르다	고릅니다	골랐습니다	고르겠습니다	골라서
다르다	다릅니다	달랐습니다	다르겠습니다	달라서
모르다	모릅니다	몰랐습니다	모르겠습니다	몰라서
빠르다	빠릅니다	빨랐습니다	빠르겠습니다	빨라서
부르다	부릅니다	불렀습니다	부르겠습니다	불러서
흐르다	흐릅니다	흘렀습니다	흐르겠습니다	흘러서

종합

1.

1)실례지만 이름이 무엇입니까? 2)이를 닦고 잡니다. 3)버스가 복잡하니까 택시를 타십시오. 4)제주도가 조용하고 아름답습니다. 5)백화점에 가서 부모님 선물을 샀습니다. 6)사진을 찍어서 부모님께 보냈습니다. 7)할아버지께서 주무시니까 조용히 합시다. 8)전화를 걸어서 약속을 했습니다. 9)식당에 가지 않고 집에서 점심을 먹습니다. 10)인삼차가 맛있지만 오늘은 주스를 마시고 싶습니다.

2.

1)쉬우니까 2)팝니다. 3)골라 4)도와 5)몰랐지만 6)추우니까

3.

1)나 : 학교에서 육교를 건너십시오. 길 건너에 교회가 있습니다. 2)나 : 연세병원에서 횡단보도를 건너십시오. 국민은행이 있습니다. 은행에서 횡단보도를 또 건너십시오. 버스 정류장이 있습니다. 거기에서 똑바로 올라가십시오. 개나리 아파트가 있습니다. 3)나 : 신촌 백화점에서 신촌 지하철 역까지 내려가서 지하도를 건너십시오. [4]번 출입구로 나가십시오. 거기에 교회가 있습니다. 4)생략

말하기 연습 : 생략

제 **6** 과(▷ 84쪽)

1

1.

1)친구가 나한테 선물을 줬습니다(주었습니다). 2)나는 부모님께 편지를 썼습니다. 3)오빠가 동생한테 장난감을 사 줬습니다(주었습니다).

2.

1)피자가 맛있군요. 2)지하철에 사람이 많군요. 3)아이가 책을 잘 읽는군요. 4)노래를 잘 하는군요. 5)마이클 씨가 학교에 안 오셨군요. 6)엘리베이터가 고장났군요.

2

1.

1) 백화점이 할인 판매를 해서 손님이 많습니다. 2)눈이 많이 와서 길이 막힙니다. 3)꽃이 피어서 정원이 아름답습니다.

2.

1) 살을 빼고 싶어서 점심을 안 먹습니다. 2)기분이 좋아서 술을 마십니다. 3)몸이 아파서 숙제를 안 했습니다.

3.

1)학생들이 많아요. 2)방이 커요. 3)열심히 공부해요. 4)고추장이 매워요.

4.

1)강아지예요. 2)거울이에요. 3)선생님이에요. 4)의사가 아니에요.

3

1.

1)나는 아침 식사 전에 세수를 했습니다. 2)그리고 학교에 가기 전에 신문을 봤습니다(보았습니다). 3)수업 전에 커피를 마셨습니다. 4)회사에 가기 전에 점심을 먹었습니다. 5)퇴근 전에 회의가 있었습니다.

2.

1)착한 여자를 만나고 싶습니다. 2)비싼 옷을 샀습니다. 3)우리는 모두 다른 나라에서 왔습니다. 4)배가 고픈 사람이 누구입니까? 5)나쁜 말을 하지 마십시오. 6)싸고 좋은 물건을 삽시다. 7)먹고 싶은 음식이 뭐예요? 8)겨울은 추운 계절입니다.
1)의자 밑에 있는 가방이 제 가방입니다.
2)짧고 재미있는 이야기를 아십니까?
1) 저기에서 기다리는 사람이 누구예요? 2)지금 하품하는 아가씨는 어느 나라 사람이에요? 3)지금 읽는 책이 무슨 책입니까? 4)제가 쓰는 연필이 좋아요. 5)잘 부르는 노래가 뭐예요? 6)미선 씨 전화번호를 아는 사람이 있습니까?

3.

1)예, (요즘 재미있는 일이 있어요.) 한국말 공부가 재미있어요. 2)(어머니가 잘 만드시는 음식이) 불고기예요. 3)키가 큰 남자/여자가 좋아요. 4)(지금 제일 만나고 싶은 사람이) 애인이에요.

4

1.

1)안녕하세요? 2)안녕히 계세요. 3)많이 잡수세요. 4)할아버지께서 주무세요.

2.

1)이것은 어제 배운 단어입니다. 2)영국에서 온 분이 누구입니까? 3)이 분은 공항에서 만난 친구입니다. 4)제가 보낸 편지를 받았습니까? 5)이것은 어제 읽은 책입니다. 6)그 영화를 보고 운 사람이 많습니다. 7)전화를 건 분이 박 선생님입니다. 8)어제 길에서 들은 노래를 듣고 싶습니다.
1)다음 주에 호주에 갈 친구에게 전화했습

니다. 2)오늘 할 일이 많습니까? 3)내일 아침에 입을 바지가 있습니까? 4)시내에서 형을 만날 약속이 있습니다. 5)동생에게 줄 선물을 샀습니다. 6)쉴 쉬간이 없습니다. 7)다음 정류장에서 내릴 사람은 벨을 누르십시오.

1) 그 분은 모르는 사람입니다. 2)외국에 있는 친구한테 편지를 씁니다. 3)공부할 시간이 없습니다. 4)어제 만난 분이 누구입니까? 5)좋은 친구가 있습니까? 6)태권도를 배울 학생이 몇 명입니까? 7)그 식당에서 먹은 만두가 참 맛이 있었습니다. 8)그녀는 언제나 웃는 얼굴입니다. 9)이것은 쉬운 문제입니다. 10)어제 인사한 사람 이름을 모르겠습니다. 11)김치를 좋아하는 외국사람이 많습니까?

5

1.

	-어 -아서 -여	-어 -아요 -여	-었 -았습니다 -였	-(으)니까	-(으)ㄹ 까요?
걷다	걸어서	걸어요	걸었습니다	걸으니까	걸을까요?
듣다	들어서	들어요	들었습니다	들으니까	들을까요?
묻다	물어서	물어요	물었습니다	물으니까	물을까요?
싣다	실어서	실어요	실었습니다	실으니까	실을까요?

2.

1)짐을 많이 실은 차를 봤습니다. 2)지하철이 빨라서 좋습니다. 3)그 사람 이름을 아세요? 4)저는 매운 음식을 싫어합니다. 5)날씨가 좋으니까 밖에서 놉시다. 6)싼 물건을 골라서 사세요. 7)친구가 제 이름을 불렀어요. 8)이 문제가 어려우니까 좀 도와 주십시오. 9)단 음식은 이에 좋지 않습니다. 10)친구한테 한국 주소와 전화번호를 물었어요.

종합

1.

1)다릅니다 2)불러요 3)사니까 4)추우니까 5)골랐어요 6)들으니까 7)반가웠습니다. 8)들었습니다. 9)쉬워서 10)멉니다.

2.

1)나는 서점에 가서 한일사전을 샀습니다. 2)형은 대학교를 졸업하고 은행에 다닙니다. 3)지금 시험을 보니까 조용히 하십시오. 4)이 구두는 3년 전에 산 구두입니다. 5)이 노래는 제가 노래방에서 자주 부르는 노래입니다. 6)어제는 머리가 아파서 학교

에 오지 않았습니다. 7)저 분은 다음 주부터 우리를 가르칠 선생님입니다.

3.

1)남자 친구한테 자주 전화를 겁니다. 2)늦잠을 자서 늦게 왔습니다. 3)피곤하시겠습니다. 4)고향에 돌아가기 전에 제주도를 여행하고 싶습니다. 5)마음이 넓고 똑똑한 남자/여자를 좋아합니다. 6)같은 반 친구한테 물어요. 7)영화도 보고 집안 일도 하겠어요.

말하기 연습 : 생략

〈불규칙 동사 연습〉

기본형		-ㅂ/습니다	었 -았습니다 -였
르 동 사	알다	압니다	알았습니다
	살다	삽니다	살았습니다
	놀다	놉니다	놀았습니다
	팔다	팝니다	팔았습니다
	만들다	만듭니다	만들었습니다
	달다	답니다	달았습니다
ㅂ 동 사	맵다	맵습니다	매웠습니다
	쉽다	쉽습니다	쉬웠습니다
	어렵다	어렵습니다	어려웠습니다
	춥다	춥습니다	추웠습니다
	덥다	덥습니다	더웠습니다
	아름답다	아름답습니다	아름다웠습니다
ㄷ 동 사	걷다	걷습니다	걸었습니다
	듣다	듣습니다	들었습니다
	묻다	묻습니다	물었습니다
으 동 사	아프다	아픕니다	아팠습니다
	바쁘다	바쁩니다	바빴습니다
	예쁘다	예쁩니다	예뻤습니다
	기쁘다	기쁩니다	기뻤습니다
	슬프다	슬픕니다	슬펐습니다
르 동 사	고르다	고릅니다	골랐습니다
	부르다	부릅니다	불렀습니다
	모르다	모릅니다	몰랐습니다
	다르다	다릅니다	달랐습니다
	빠르다	빠릅니다	빨랐습니다

-겠습니다	어 -아서 -여	-(으)니까	AV는 N DV(으)ㄴ
알겠습니다 살겠습니다 놀겠습니다 팔겠습니다 만들겠습니다 달겠습니다	알아서 살아서 놀아서 팔아서 만들어서 달아서	아니까 사니까 노니까 파니까 만드니까 다니까	아는 사는 노는 파는 만드는 단
맵겠습니다 쉽겠습니다 어렵겠습니다 춥겠습니다 덥겠습니다 아름답겠습니다	매워서 쉬워서 어려워서 추워서 더워서 아름다워서	매우니까 쉬우니까 어려우니까 추우니까 더우니까 아름다우니까	매운 쉬운 어려운 추운 더운 아름다운
걷겠습니다 듣겠습니다 묻겠습니다	걸어서 들어서 물어서	걸으니까 들으니까 물으니까	걷는 듣는 묻는
아프겠습니다 바쁘겠습니다 예쁘겠습니다 기쁘겠습니다 슬프겠습니다	아파서 바빠서 예뻐서 기뻐서 슬퍼서	아프니까 바쁘니까 예쁘니까 기쁘니까 슬프니까	아픈 바쁜 예쁜 기쁜 슬픈
고르겠습니다 부르겠습니다 모르겠습니다 다르겠습니다 빠르겠습니다	골라서 불러서 몰라서 달라서 빨라서	고르니까 부르니까 모르니까 다르니까 빠르니까	고르는 부르는 모르는 다른 빠른

제 7 과 (☞ 98쪽)

1

1.
1) 오늘 저녁에 집에 없을 거예요. 외출할 거예요. 2) 주말에 집에서 쉴 거예요. 3) 영미 씨하고 어디에 갈 거예요?

2.
1) 예, 아마 재미있을 거예요. 2) 아마 어려울 거예요. 3) 그 식당 음식이 어떨까요?

3.
1) 미국 사람이기 때문에 한국말이 어렵습니다. 2) 배가 아프기 때문에 집에 일찍 갔습니다. 3) 휴일이기 때문에 회사에 가지 않습니다. 4) 방학이기 때문에 수업이 없습니다. 5) 이 그림이 너무 비싸기 때문에 사고 싶지 않습니다. 6) 술을 많이 마셨기 때문에 머리가 아픕니다.

2

1.
1) 맑습니다. 2) 바람이 붑니다. 3) 비가 옵니다. 4) 눈이 옵니다.

2.
1) 그럼 쉬세요. 2) 그럼 사전을 찾으세요. 3) 볼펜이 없는데 어떻게 하죠? 4) 좀 먼데 어떻게 하죠?

3.
1) 예, 오늘 비가 올 것 같아요. 2) 예, 이 음식이 맛있을 것 같아요. 3) 아니오, 영수 씨가 공부하지 않는 것 같아요. 자는 것 같아요. 4) 예, 두 사람이 서로 사랑하는 것 같아요. 5) 예, 미선 씨가 기분이 좋은 것 같아요. 6) 아니오, 죤슨 씨가 외롭지 않은 것 같아요. 7) 아니오, 죤슨 씨가 시험을 잘 보지 않은 것 같아요. 8) 영수 씨가 어제 술을 마신 것 같아요. 9) 아니오, 미국 사람이 아닌 것 같아요. 한국 사람인 것 같아요. 10) 예, 의사 선생님인 것 같아요.

3

1.
1) 어느 계절을 좋아합니까? 2) 어느 대학교에 다닙니까? 3) 어느 시장이 유명합니까?

2.
1) 조용필을 제일 좋아합니다. 2) 애정 영화가 제일 재미있습니다. 3) 비원에 제일 가고 싶습니다.

3.
1) 심심한데 극장에 갈까요? 2) 학생들이 공부하는데 떠들지 마십시오. 3) 그 모자가 비싼데 사고 싶습니다. 4) 점심을 먹었는데 배가 고픕니다.

4

1.
1) 나 : 아니오, 많이 사지 못했습니다. 가 : 왜 많이 사지 못했습니까? 나 : 비싸서 많이 사지 못했습니다. 2) 가 : 숙제를 했습니까? 나 : 아니오, 하지 못했습니다. 가 : 왜 하지 못했습니까? 나 : 너무 어려워서 하지 못했습니다.

2.
1) 아니오, 괜찮은데요. 2) 시카고는 바람도 많이 불고 비도 오는데요. 3) 색깔이 마음에 안 드는데요. 4) 설거지를 하는데요.

3. 몰라서 / 물었습니다 / 노는 / 파는 / 고파서 / 가까운 / 매웠지만 / 걸었습니다 / 즐거웠습니다 / 달랐지만

155

5

1.

1)피곤하면 집에서 쉬십시오. 2)시간이 있으면 제주도에 가고 싶습니다. 3)수영을 하고 싶으면 수영장에 갑시다. 4)수업이 없으면 극장에서 영화를 보고 싶습니다. 5)식당에 사람이 많으면 집에서 먹읍시다. 6)생략

2.

1)예, 스키를 탈 수 있습니다. 2)가 : 피아노를 칠 수 있습니까? 나 : 예, 피아노를 칠 수 있습니다. 3)가 : 한국 신문을 읽을 수 있습니까? 나 : 아니오, 한국 신문을 읽을 수 없습니다.

3.

1)가 : 한국말을 잘 할 수 있습니까? 나 : 아니오, 한국말을 잘 할 수 없습니다. 가 : 왜 한국말을 잘 할 수 없습니까? 나 : 미국에서 자라서 한국말을 잘 할 수 없습니다. 2)가 : 운전할 수 있습니까? 나 : 아니오, 운전할 수 없습니다. 가 : 왜 운전할 수 없습니까? 나 : 운전면허증이 없어서 운전할 수 없습니다. 3)가 : 내일 학교에 일찍 올 수 있습니까? 나 : 아니오, 내일 학교에 일찍 올 수 없습니다. 가 : 왜 내일 학교에 일찍 올 수 없습니까? 나 : 내일 아침에 일이 있어서 일찍 올 수 없습니다. 4)가 : 수업이 끝나고 만날 수 있습니까? 나 : 아니오, 수업이 끝나고 만날 수 없습니다. 가 : 왜 수업이 끝나고 만날 수 없습니까? 나 : 수업이 끝나고 다른 약속이 있어서 만날 수 없습니다.

종합

1.

1)눈도 옵니다. 2)밖에 나가지 맙시다. 3)차가 밀립니다. 4)교통이 복잡합니다. 5)우산을 같이 씁시다. 6)그 사람이 생각납니다. 7)우산을 쓰지 않습니다.

2.

1)어제 배웠는데 잊어 버렸습니다. 2)한식은 수저로 먹는데 일식은 어떻습니까? 3)쉬지 못해서 피곤합니다. 4)눈이 많이 오는데 일찍 떠납시다. 5)돈이 모자라는데 어떻게 하지요? 6)여기에 앉아서 기다립시다. 7)술을 조금 마시면 한국말을 더 잘합니다. 8)친구 이야기도 하고 가족 이야기도 했습니다.

3.

1)일본말을 할 수 없습니다. 2)부산에 같이 갈 거예요. 3)2만원쯤 나올 거예요. 4)

사지 마십시오. 5)하와이가 제일 좋았어요. 6)골프예요. 7)아주 맛있는데요. 8)친구들과 눈싸움을 하고 싶습니다.

4.

1)왜 결혼식장에 갈 수 없습니까? 2)우산이 없는데 어떻게 하죠? 3)그 사람이 지금 집에 있을까요? 4)심심하면 무엇을 해요?

5.

1)날씨 2)은행 3)하얀색 4)나다 5)쌓이다 6)생일 7)갈아타는 역

말하기 연습 : 생략

제 8 과 (☞ 113쪽)

1

1.

1)이 식당 음식이 맛있으니까 이 식당에서 먹읍시다. 2)여기에는 사람이 많으니까 저기에서 찍읍시다. 3)피곤하니까 그만 합시다.

2.

1)맛이 없으면 먹지 맙시다. 2)사람이 많으면 오늘 가지 맙시다. 3)가고 싶지 않으면 가지 마십시오.

3.

1)그래서 2)그렇지만 3)그리고 4)그렇지만 5)그러면 6)그리고 7)그래서 8)그러면 9)그래서 10)그렇지만

2

1.

1)참외가 아닙니다. 2)여기가 2급 교실이 아닙니까? 3)이 택시는 일반택시가 아닙니까?

2.

1)어렵지 않아요? 2)너무 멀지 않아요? 3)오늘 바쁘지 않아요?

3

1.

1)예, 대학원에 가려고 합니다. 2)친구들하고 부산을 여행하려고 합니다. 3)운동화를 사려고 합니다.

2.

1)일이 없을 때 영화를 봐요. 2)가 : 추석 때 어디에 가요? 나 : 추석 때 고향에 가요. 3)가 : 작년 크리스마스 때 날씨가 어땠어요? 나 : 작년 크리스마스 때 눈이 많이 왔어요.

4

1.
1)음식을 먹기 전에 손을 씻습니다. 2)결혼하기 전에 결혼한 사람을 부러워합니다. 결혼한 후에 혼자 사는 사람을 부러워합니다. 3)대답하기 전에 두 번 생각하십시오. 4)약속한 후에 꼭 지키십시오.

2.
1)아침 운동을 합니다. 2)커피를 마십니다. 3)도서관에서 책을 읽어요. 4)텔레비전을 봐요. 5)일기를 써요.

5

1.
1)영수 씨가 미선 씨한테 선물을 줍니다. 미선 씨가 영수 씨한테서 선물을 받습니다. 2)존슨 씨가 영수 씨한테 인사를 합니다. 영수 씨가 존슨 씨한테서 인사를 받습니다. 3)선생님이 학생들한테 한국말을 가르치십니다. 학생들이 선생님한테서 한국말을 배웁니다. 4)어머님이 다나까 씨한테 편지를 보내셨습니다. 다나까 씨가 어머님한테서 편지를 받았습니다. 5)회사에서 전화가 왔습니다.

2.
1)목욕을 하고 있습니다. 2)빨래를 하고 있습니다. 3)청소를 하고 있습니다. 4)요리를 하고 있습니다. 5)쉬고 있습니다.

3.
1)일일사 2)삼육일의 이일일사 3)삼육일의 삼사육팔 4)삼육일의 오일일사 5)일삼일 6)생략 7)생략 8)오삼오의 사일오일 9)삼구이의 칠칠팔팔

종합

1.
1)① 여보세요, 2)③ 몇 번에 거셨습니까? 3)② 전데요. 4)① 누구를 찾으십니까?

2.
1)바로 2)천천히 3)한가하 4)지키

3.
1)미국에 돌아가면 꼭 편지하십시오 2)제가 서울 시내를 잘 아니까 안내할 수 있습니다. 3)처음 한국에 왔을 때 "안녕하세요"도 몰랐습니다. 4)대학교를 졸업하고 3년 동안 회사에서 일했습니다. 5)방학이 되면 여행을 하겠습니다. 6)날씨가 좋은데 소풍을 갈까요?

4.
1)한가할 때 2)열심히 공부하십시오. 3)학교에 오지 못하겠습니다. 4)비자를 받으려고 대사관에 갑니다. 5)음식을 만들고 있습니다.

말하기 연습 : 생략

종합 : 5과 ~ 8과

1.
1)로, 로 2)에 3)을, 까지 4)에게/한테 5)로, 을 6)께 7)에게서/한테서 8)으로 9)로, 에 10)에서, 까지 11)에서 12)에서, 까지, 쯤

2.
1)매운 음식을 싫어하지만 김치는 먹습니다. 2)내일 시험이 있으니까 공부하십시오. 3)앉아서 말씀하십시오. 4)뭘 하려고 돈을 많이 찾았어요? 5)늦어서 미안합니다. 6)내일 학교에 올 때 숙제 공책을 가지고 오세요. 7)지금 돈이 없는데 어떻게 하죠? 8)지난 주에 배웠는데 모르겠어요. 9)오늘 아침에 학교에 올 때 비가 왔습니다. 10)동생에게 주려고 사전을 샀습니다. 11)어려운 일이 있으면 연락하세요. 12)시험이 끝나면/끝나고 뭘 하실 거예요?

3.
1)더우니까 닫지 맙시다. 2)아니오, 숙제를 하지 않고 잤습니다. 3)갑자기 급한 일이 생겨서 그랬습니다. 4)예, 열심히 일하는군요. 5)여행도 많이 하고 책도 많이 읽겠어요. 6)장마철이니까 비가 올 거예요. 7)이 집이 어때요? 8)아니오, 회의를 하고 있어서 지금 갈 수 없어요. 9)소포를 부치려고 갑니다. 10)예, 별로 어렵지 않아서 혼자 할 수 있을 것 같아요.

4.
1)불렀어요? 2)세워 3)쉬워서 4)무거운데, 도와 5)들었습니다 6)외운 7)놉시다 8)왔을 때

5. — 전화 (1) —
바꿔 주세요. /알겠습니다.
— 전화 (2) —
바꿔 주세요. /전데요.
학교에 갈 수 없을 것 같아요. /뵙겠습니다.
— 택시 안에서 —
연세대학교로 갑시다. /학교 안으로 들어갑니까?
정문 앞에서 세워 주세요. /
여기에서 연세대학교까지 얼마나 걸립니까?
연세대학교입니다. /얼마입니까? 여기 있습니다.

단어 맞추기(2)

1. 수박 2. 박수 3. 수저 4. 저기 5. 기숙사
6. 숙제 7. 여행사 8. 취미 9. 미장원 10. 병원
11. 소나무 12. 소설책 13. 무엇 14. 책방 15. 방학
16. 학교 17. 사랑하다 18. 사전 19. 하숙집 20. 운전
21. 운동화 22. 백화점 23. 점원 24. 원장 25. 장미
26. 미국 27. 집사람 28. 사무실 29. 매우 30. 우표
31. 과일 32. 과자 33. 일주일 34. 자주

¹수		⁸취		¹⁰병	¹¹,¹²소	나	¹³무
²박	³수	⁹미	장	원	설		엇
	⁴저	⁵기			¹⁴책	¹⁵방	
		⁶숙	제			¹⁶학	교
⁷여	행	사					
		¹⁷,¹⁸사	랑	¹⁹하	다	²⁹매	³⁰우
		²⁰,²¹운	전	숙			표
		동		²⁷집	²⁸사	람	
	²²백	화	²³점		무	³¹,³²과	³³일
		²⁴원	²⁵장		실	³⁴자	주
			²⁶미	국			일

제 9 과 (⟹ 131쪽)

1, 2

1.

1) 공부하러 학교에 가요. 2) 은행/은행에 가요? 돈을 찾으러 은행에 가요. 3) 체육관에 가요./체육관에 가요?/운동을 하러 체육관에 가요. 4) 극장에 가요./극장에 가요?/영화를 보러 극장에 가요. 5) 서점에 가요./서점에 가요?/책을 사러 서점에 가요.

2.

1) 장마철이니까요. 2) 할인판매를 하니까요. 3) 교통이 복잡하군요. 나 : 퇴근시간이니까요.

3.

1) 예, 가 봤습니다. 2) 아니오, (아직) 써 보지 않았어요. 3) 예, 먹어 봤습니다. 4) 예, 해 봤어요. 5) 설악산에 가서 단풍을 구경해 보겠습니다.

3

1.

1) 머리가 복잡해집니다. 2) 날씨가 추워집니다. 3) 하늘이 어두워집니다. 4) 얼굴이 빨개집니다.

2.

1) 고파집니다. 2) 좋아집니다. 3) 마음이 편안해집니다. 4) 방이 더러워집니다. 5) 예뻐졌어요. 6) 기분이 우울해집니다.

3.

1) 세계 일주를 했으면 합니다. 2) 결혼을 했으면 합니다. 3) 백 점을 맞았으면 합니다. 4) 자동차를 샀으면 합니다.

4

1.

1) 부산이나 광주에 갑시다. 2) 영화나 연극을 봅시다. 3) 언니나 오빠에게 묻습니다.

2.

1) 고궁에나 갑시다. 2) 방학인데 제주도에나 갑시다.

3.

1) 수영장에 가기로 했습니다. 2) 이번 토요일 오후 3시에 만나기로 했습니다. 3) 친구와 같이 맥주를 마시기로 했습니다. 4) 수영 연습을 하기로 했습니다.

4. 오늘은 휴일이어서 늦잠을 잤습니다. 일어나서 시계를 보니 벌써 10시였습니다. 아침을 간단하게 먹고 기숙사 친구와 같이 옷을 사러 백화점에 갔습니다. 나는 파란색 원피스를 한 벌 샀습니다. 색깔도 마음에 들고 값도 비싸지 않았습니다. 친구는 까만 색 바지를 샀습니다. 극장에서 애정 영화도 한 편 봤습니다. 슬픈 영화여서 좀 울었습니다. 영화가 끝나고 새로 나온 피자나 먹으려고 피자헛에 갔습니다. 그 피자가 인기가 있어서 그 식당은 만원이었습니다. 빈 자리가 없어서 10분쯤 기다렸습니다. 그 피자는 아주 맛이 있었습니다. 친구와 여러 가지 이야기를 했습니다. 다음 주에 볼 시험 이야기도 했습니다. 그 시험을 잘 봤으면 합니다.

5

1.

1) 과자를 먹습니다. 2) 전화기를 닦습니다. 3) 학교 이야기를 합니다. 4) 친구를 기다리는 동안 잡지를 봅니다. 5) 쉬는 동안 음악을 듣습니다.

2.

1) 교실에는 아무도 없었습니다. 2) 비가 너무 많이 옵니다. 3) 몸이 아픕니다. 4) 그런데 수박이 익지 않아서 맛이 없었어요. 5) 새 차를 샀어요. 그런데 며칠 후에 고장이 났어요.

종합

1. (때) (오래간만에) (갈 때) (음식을 기다리는 동안) (마다) (없으니까) (우울해졌습니다) (먹은 후에) (영화나) (보려고 합니다) (좋아질)

말하기 연습 : 생략

많이 늙으신 것 같습니다. 저는 조금 슬펐어요. 8)할아버님, 건강하세요. 제가 기도 드리겠어요. 9)미국에 가면 전화를 드리겠어요.

말하기 연습 : 생략

제 *10* 과(▷ 140쪽)

①

1.
1)아주 좋습니다. 2)너무 맵습니다. 3)대단히 잘 가르치십니다. 4)아주 잘 칩니다. 5)아마 비가 올 거예요.

2.
1)넓을 거예요 2)(참) 잘 3)참/아주/매우/몹시 4)(아주) 잘

3.
1)보입니다. 2)모입니다. 3)들리는군요.

②

1.
1)④ 참 2)③ 잘 3)② 제일 4)②몹시 5)③ 아마 6)① 아주 7)③ 너무 8)② 굉장히

③

1.
1)이 일을 다 끝내고요. 2)숙제를 하고요. 3)이 음식 좀 먹고요.

2.
1)우리 반에서 제일 발이 큰 사람은 김영수씨예요. 2)일본에서 제일 높은 산은 후지산이에요. 3)선생님이 제일 좋아하는 학생은 착하고 성실한 학생이에요.

3.
1)이 자동차 한 대에 얼마일까요? 2)누가 김밥을 제일 잘 만드십니까? 3)어디로 갈까요? 4)점심에 무엇을 먹을까요?

4.
1)언제 2)뭐 3)누구 4)얼마

④

1.
1)저는 어제 오빠와 함께 할아버지 댁에 갔습니다. 2)할아버지께서는 주무시고 계셨습니다. 3)우리는 삼촌과 숙모님께 인사를 드렸습니다. 4)삼촌께 어머니께서 주신 선물을 드렸습니다. 5)할아버지께서 한국 옛날 이야기를 해 주셨습니다. 6)할아버지 연세가 어떻게 되십니까? 7)할아버지께서

159

한국어 활용연습 1

2001년 3월 31일 1판 1쇄
2007년 6월 15일 1판 16쇄

저 자 : 연세대학교 한국어학당
발 행 : 연세대학교 출 판 부

서울특별시 서대문구 신촌동 134
전 화 : 2123-3380~2, 392-6201
FAX : 393-1421
E-mail : ysup@yonsei.ac.kr
http://www.yonsei.ac.kr/press
등록 : 1955년 10월 13일 제9-60호
인쇄 : (주)동국문화

ISBN 89-7141-526-6(03710)   값 8,000원
     89-7141-529-0(세트)